어휘력 자신감

초등 국어

1단계

초등 국어 어휘력 자신감은 이런 교재예요!

1 쉽고 재미있는 지문

- 글 내용이 쉽고 재미있어요.
- 주제가 다양해서 지루하지 않아요.
- QR코드를 찍어서 글 내용을 들을 수 있어요.
- 글을 읽으면서 속담과 관용어는 물론, 한자 성어와 교과 어휘까지 익힐 수 있어서 좋아요.

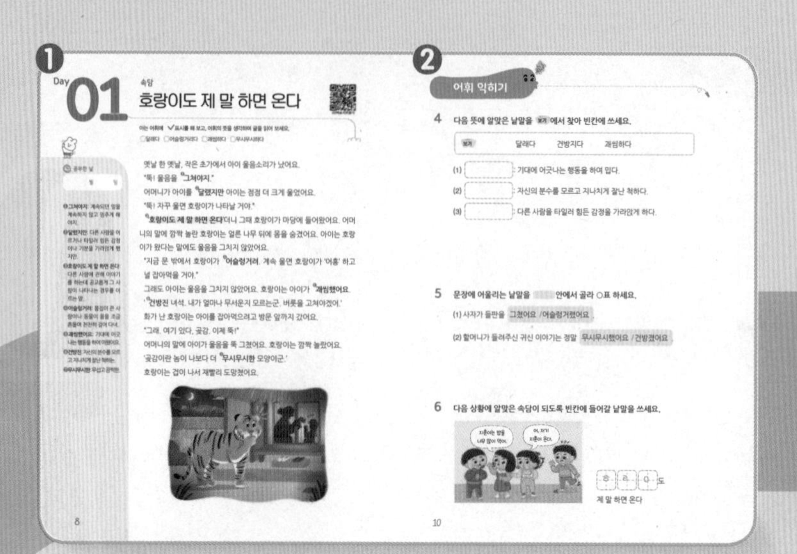

Day 01

속담

호랑이도 제 말 하면 온다

옛날 한 옛날, 작은 초가에서 아이 울음소리가 났어요.

"뚝! 울음을 그쳐야지."

어머니가 아이를 달랬지만 아이는 점점 더 크게 울었어요.

"뚝! 자꾸 울면 호랑이가 나타날 거야."

'호랑이도 제 말 하면 온다'더니 그때 호랑이가 마당에 들어왔어요. 어머니의 말에 깜짝 놀란 호랑이는 얼른 나무 뒤에 몸을 숨겼어요. 아이는 호랑이가 왔다는 말에도 울음을 그치지 않았어요.

"지금 문 밖에서 호랑이가 어슬렁거려. 계속 울면 호랑이가 '어흥' 하고 널 잡아먹을 거야."

그래도 아이는 울음을 그치지 않았어요. 호랑이는 아이가 괘씸했어요.

'건방진 녀석. 내가 얼마나 무서운지 모르는군. 버릇을 고쳐야겠어.'

화가 난 호랑이는 아이를 잡아먹으려고 방문 앞까지 갔어요.

"그래, 여기 있다, 곶감. 이제 뚝!"

어머니의 말에 아이가 울음을 뚝 그쳤어요. 호랑이는 깜짝 놀랐어요.

'곶감이란 놈이 나보다 더 무시무시한 모양이군.'

호랑이는 겁이 나서 재빨리 도망쳤어요.

8

어휘 익히기

4 다음 뜻에 알맞은 낱말을 보기에서 찾아 빈칸에 쓰세요.

보기: 달래다 건방지다 괘씸하다

(1) : 기대에 어긋나는 행동을 하여 밉다.

(2) : 자신의 분수를 모르고 지나치게 잘난 척하다.

(3) : 다른 사람을 타일러 힘든 감정을 가라앉게 하다.

5 문장에 어울리는 낱말을 안에서 골라 ○표 하세요.

(1) 사자가 들판을 그쳤어요 /어슬렁거렸어요.

(2) 할머니가 들려주신 귀신 이야기는 정말 무시무시했어요 /건방졌어요.

6 다음 상황에 알맞은 속담이 되도록 빈칸에 들어갈 낱말을 쓰세요.

ㅎ ㄹ ㅇ 도 제 말 하면 온다

10

2 다양한 어휘 문제 유형

- 낱말의 정확한 뜻을 알 수 있어요.
- 낱말이 어떻게 활용되는지 알 수 있어요.
- 띄어쓰기 규칙과 맞춤법을 학습할 수 있어요.
- QR코드를 찍어서 받아쓰기 음성을 듣고, 낱말 게임을 할 수 있어요.

독해력을 키우는 즐거운 공부 습관!

3 교과 어휘를 배경지식과 함께!

- 교과서에 나오는 개념과 내용을 쉽고 재미있게 익힐 수 있어요.
- 글을 통해 배경 지식을 알 수 있어서 교과서 내용이 머리에 쏙쏙 들어와요.

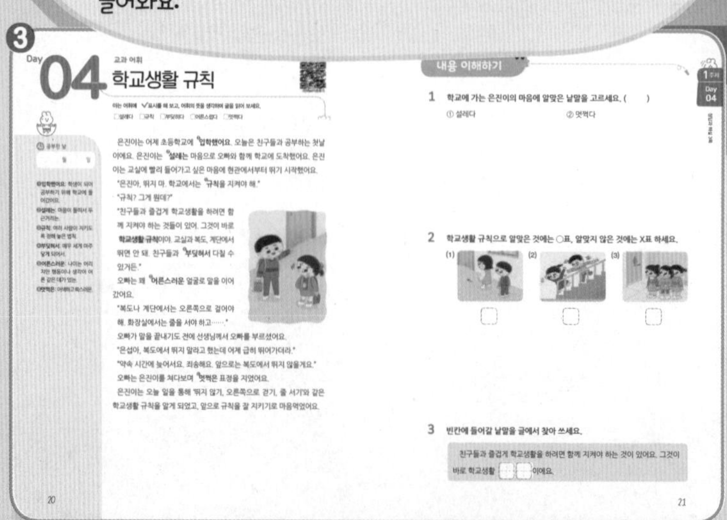

Day 04

교과 어휘

학교생활 규칙

은진이는 어제 초등학교에 입학했어요. 오늘은 친구들과 공부하는 첫날이에요. 은진이는 설레는 마음으로 오빠와 함께 학교에 도착했어요. 은진이는 교실에 빨리 들어가고 싶은 마음에 현관에서부터 뛰기 시작했어요.

"은진아, 뛰지 마. 학교에서는 규칙을 지켜야 해."

"규칙? 그게 뭔데?"

"친구들과 즐겁게 학교생활을 하려면 함께 지켜야 하는 것들이 있어. 그것이 바로 학교생활 규칙이야. 교실과 복도, 계단에서 뛰면 안 돼. 친구들과 부딪혀서 다칠 수 있거든."

오빠는 꽤 어른스러운 얼굴로 말을 이어 갔어요.

"복도나 계단에서는 오른쪽으로 걸어야 해. 화장실에서는 줄을 서야 하고……."

오빠가 말을 끝내기도 전에 선생님께서 오빠를 부르셨어요.

"은섭아, 복도에서 뛰지 말라고 했는데 어제 급히 뛰어가더라."

"약속 시간에 늦어서요. 죄송해요. 앞으로는 복도에서 뛰지 않을게요."

오빠는 은진이를 쳐다보며 멋쩍은 표정을 지었어요.

은진이는 오늘 일을 통해 '뛰지 않기, 오른쪽으로 걷기, 줄 서기'와 같은 학교생활 규칙을 알게 되었고, 앞으로 규칙을 잘 지키기로 마음먹었어요.

20

내용 이해하기

1 학교에 가는 은진이의 마음에 알맞은 낱말을 고르세요. (   )

① 설레다 ② 멋쩍다

2 학교생활 규칙으로 알맞은 것에는 ○표, 알맞지 않은 것에는 X표 하세요.

(1) (2) (3)

3 빈칸에 들어갈 낱말을 글에서 찾아 쓰세요.

친구들과 즐겁게 학교생활을 하려면 함께 지켜야 하는 것이 있어요. 그것이 바로 학교생활 □□이에요.

21

5 다양하고 재미있는 활동

- 여러 활동을 통해 어휘를 확장해요.
- 한 주 학습을 마친 뒤 퍼즐로 재미있게 복습해요.
- 붙임딱지를 붙이며 성취감도 느껴요.

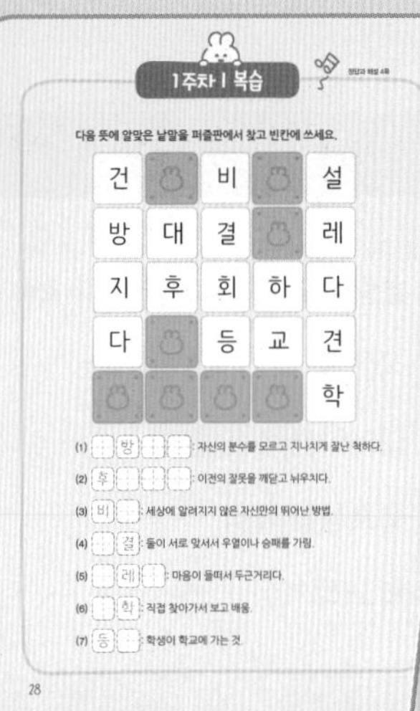

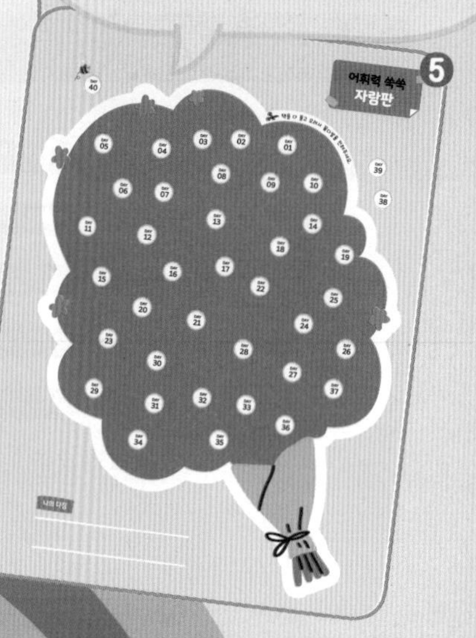

하루 15분 어휘력 자신감!

한자로 공부하면 어려울 것 같았는데 그렇지 않았어요!

4 폭넓은 한자 어휘

- 한자가 지니고 있는 뜻을 쉽고 빠르게 알 수 있어요.
- 같은 한자가 쓰인 낱말을 폭넓게 익힐 수 있어서 어휘력이 쑥쑥 길러져요.

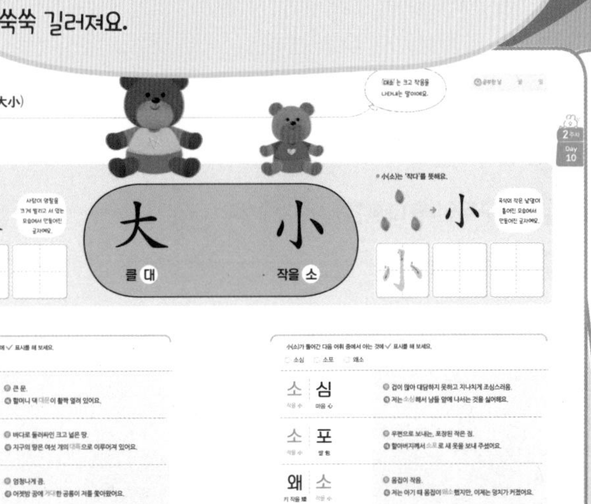

이 책의 차례

주차	Day		쪽수	교과 연계

독해력을 키우는
즐거운 공부 습관

하루 15분

• 어휘력 자신감과 함께 시작하세요.

어휘력 자신감

1단계 | 2단계 | 3단계 | 4단계 | 5단계 | 6단계

알고 있는 어휘는
글에서 어떻게 쓰였는지 확인하고,
모르는 어휘는 글을 읽으며
재미있게 익혀 보아요!

뜻을 알고 있는 어휘에 ✔ 표 해 보세요.

	배울 내용	배울 어휘		공부한 날
Day 01	속담 호랑이도 제 말 하면 온다	☐ 달래다 ☐ 괘씸하다	☐ 어슬렁거리다 ☐ 무시무시하다	월 일
Day 02	관용어 식은 죽 먹기	☐ 덩실덩실 ☐ 가르다	☐ 한꺼번에 ☐ 후회하다	월 일
Day 03	한자 성어 다다익선(多多益善)	☐ 비결 ☐ 두께	☐ 대결 ☐ 종류	월 일
Day 04	교과 어휘 학교생활 규칙	☐ 설레다 ☐ 부딪히다 ☐ 멋쩍다	☐ 규칙 ☐ 어른스럽다	월 일
Day 05	한자 어휘 학교(學校)	☐ 방학 ☐ 유학 ☐ 교칙	☐ 견학 ☐ 교가 ☐ 등교	월 일

Day 01

속담

호랑이도 제 말 하면 온다

아는 어휘에 ✔ 표시를 해 보고, 어휘의 뜻을 생각하며 글을 읽어 보세요.

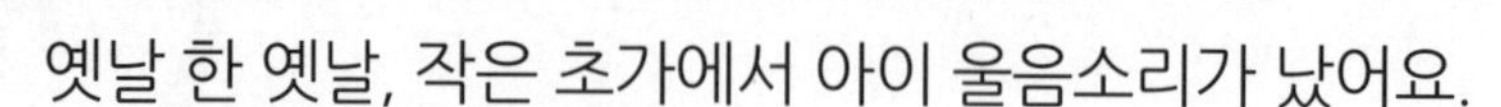

공부한 날

월 일

❶ **그쳐야지**: 계속되던 일을 계속하지 않고 멈추게 해야지.

❷ **달랬지만**: 다른 사람을 어르거나 타일러 힘든 감정이나 기분을 가라앉게 했지만.

❸ **호랑이도 제 말 하면 온다**: 다른 사람에 관해 이야기를 하는데 공교롭게 그 사람이 나타나는 경우를 이르는 말.

❹ **어슬렁거려**: 몸집이 큰 사람이나 동물이 몸을 조금 흔들며 천천히 걸어 다녀.

❺ **괘씸했어요**: 기대에 어긋나는 행동을 하여 미웠어요.

❻ **건방진**: 자신의 분수를 모르고 지나치게 잘난 척하는.

❼ **무시무시한**: 무섭고 끔찍한.

옛날 한 옛날, 작은 초가에서 아이 울음소리가 났어요.

"뚝! 울음을 ❶**그쳐야지**."

어머니가 아이를 ❷**달랬지만** 아이는 점점 더 크게 울었어요.

"뚝! 자꾸 울면 호랑이가 나타날 거야."

❸'**호랑이도 제 말 하면 온다**'더니 그때 호랑이가 마당에 들어왔어요. 어머니의 말에 깜짝 놀란 호랑이는 얼른 나무 뒤에 몸을 숨겼어요. 아이는 호랑이가 왔다는 말에도 울음을 그치지 않았어요.

"지금 문 밖에서 호랑이가 ❹**어슬렁거려**. 계속 울면 호랑이가 '어흥' 하고 널 잡아먹을 거야."

그래도 아이는 울음을 그치지 않았어요. 호랑이는 아이가 ❺**괘씸했어요**.

'❻**건방진** 녀석. 내가 얼마나 무서운지 모르는군. 버릇을 고쳐야겠어.'

화가 난 호랑이는 아이를 잡아먹으려고 방문 앞까지 갔어요.

"그래. 여기 있다, 곶감. 이제 뚝!"

어머니의 말에 아이가 울음을 뚝 그쳤어요. 호랑이는 깜짝 놀랐어요.

'곶감이란 놈이 나보다 더 ❼**무시무시한** 모양이군.'

호랑이는 겁이 나서 재빨리 도망쳤어요.

내용 이해하기

정답과 해설 2쪽

1 아이의 울음을 그치게 한 것을 고르세요. (   )

① 

② 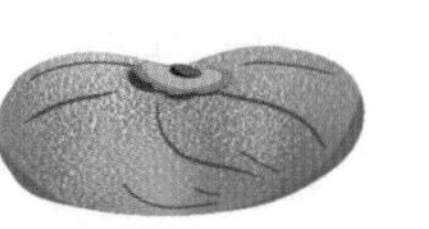

③

2 글의 내용을 바르게 이해한 친구의 이름을 쓰세요.

3 빈칸에 들어갈 말을 글에서 찾아 쓰세요.

어머니가 아이의 울음을 그치게 하려고 호랑이 이야기를 하자 진짜 호랑이가 나타났어요. 이렇게 다른 사람에 관해 이야기를 하는데 그 사람이 나타나는 경우에 '호랑이도 ☐☐ 하면 온다'라고 말해요.

어휘 익히기

4 **다음 뜻에 알맞은 낱말을 보기 에서 찾아 빈칸에 쓰세요.**

보기 달래다 건방지다 괘씸하다

(1) [ ] : 기대에 어긋나는 행동을 하여 밉다.

(2) [ ] : 자신의 분수를 모르고 지나치게 잘난 척하다.

(3) [ ] : 다른 사람을 타일러 힘든 감정을 가라앉게 하다.

5 **문장에 어울리는 낱말을 [ ] 안에서 골라 ○표 하세요.**

(1) 사자가 들판을 [그쳤어요 / 어슬렁거렸어요].

(2) 할머니가 들려주신 귀신 이야기는 정말 [무시무시했어요 / 건방졌어요].

6 **다음 상황에 알맞은 속담이 되도록 빈칸에 들어갈 낱말을 쓰세요.**

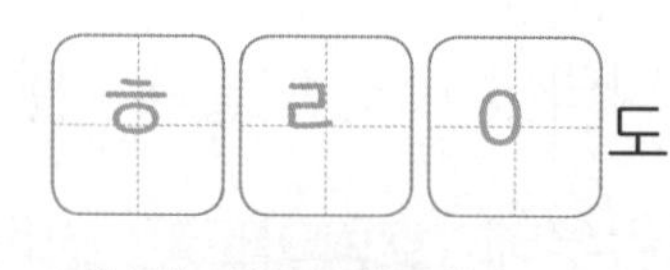

제 말 하면 온다

정답과 해설 2쪽

7 다음 문장의 빈칸에 들어갈 낱말을 고르세요. (　　　)

아침부터 눈이 [　　　] 내려요.

① 개속　　② 게속　　③ 걔속　　④ 계속

8 밑줄 친 낱말을 바르게 고쳐 쓰세요.

캄캄한 밤, 늑대 한 마리가 닭장 근처를 어슬렁거렸어요. 늑대는 닭 한 마리를 (1) 자바머거써어요. 다음 날 이 사실을 알게 된 농부는 늑대가 (2) 괴씸했어요.

(1) □□□□□□

(2) □□□□□

9 들려주는 말을 잘 듣고 띄어쓰기에 유의하여 받아쓰세요.

(1) □□∨□□∨□□∨□□□□.

(2) □□□∨□∨□□□□□.

(3) □□□∨□□□□□.

QR코드를 찍어 낱말 게임을 해 보세요.

맞은 개수 ______ /9개

스스로 붙임딱지

Day 02

관용어

식은 죽 먹기

아는 어휘에 ✓ 표시를 해 보고, 어휘의 뜻을 생각하며 글을 읽어 보세요.

□ 덩실덩실 □ 한꺼번에 □ 가르다 □ 후회하다

공부한 날

월 일

❶ **우리**: 짐승을 가두어 기르는 곳.

❷ **덩실덩실**: 신이 나서 팔다리와 어깨를 자꾸 흔들며 춤을 추는 모양.

❸ **식은 죽 먹기**: 아주 쉽게 할 수 있는 일.

❹ **한꺼번에**: 몰아서 한 번에. 또는 전부 다 동시에.

❺ **얻을**: 구하거나 찾아서 가질.

❻ **갈라요**: 잘라서 열어요.

❼ **후회했어요**: 이전의 잘못을 깨닫고 뉘우쳤어요.

거위 ❶**우리**에 반짝반짝 빛나는 것이 있었어요. 할머니는 그것을 보고 깜짝 놀랐어요.

"여보, 이것 좀 보세요! 거위가 황금 알을 낳았어요!"

할아버지는 황금 알을 들고 있는 할머니를 보고 깜짝 놀라서 눈이 커졌어요. 할아버지와 할머니는 ❷**덩실덩실** 춤을 추었어요.

"황금 알을 시장에 내다 팔면 부자가 되는 것은 ❸**식은 죽 먹기**겠어요."

할머니가 돈을 벌 생각에 신이 나서 말했어요.

할아버지와 할머니는 거위가 낳은 황금 알을 팔아 부자가 되었어요. 할머니는 쌓여 있는 돈을 보자 더 욕심이 났어요.

"여보, 거위가 황금 알을 하루에 한 알만 낳으니 답답해요."

"알을 ❹**한꺼번에** 많이 낳으면 더 좋을 텐데 말이에요."

할아버지도 욕심이 났어요. 할아버지와 할머니는 거위에게서 알을 한꺼번에 많이 ❺**얻을** 수 있는 방법을 생각해 보았어요.

"여보, 좋은 방법이 생각났어요! 거위의 배를 ❻**갈라요**. 황금 알을 한꺼번에 꺼내서 내다 팔면 큰돈을 더 빨리 벌 수 있어요."

할아버지는 기뻐하며 황금 알을 낳는 거위의 배를 갈랐어요.

"아니, 이게 뭐예요? 황금 알이 하나도 없어요!"

"아이고, 아까운 거위만 죽였네요."

할아버지와 할머니는 땅을 치며 ❼**후회했어요**.

내용 이해하기

정답과 해설 2쪽

1 **거위가 황금 알을 하루에 한 알만 낳는 것을 보고 할머니는 어떤 마음이 들었는지 고르세요. (　　　)**

① 신나요　　② 답답해요　　③ 후회해요

2 **할아버지와 할머니가 황금 알을 한꺼번에 많이 얻으려고 한 일을 고르세요. (　　　)**

① 거위의 배를 갈랐어요.
② 거위를 한 마리 더 길렀어요.
③ 거위를 시장에 내다 팔았어요.
④ 거위에게 더 많은 먹이를 주었어요.

3 **빈칸에 들어갈 말을 글에서 찾아 쓰세요.**

할아버지와 할머니는 거위가 낳은 황금 알을 시장에 내다 팔면 부자가 되는 것은 □□ □ □□라고 생각했어요. 하지만 할아버지와 할머니가 욕심을 부리는 바람에 거위는 죽고 황금 알을 더 얻지 못했어요.

어휘 익히기

4 다음 뜻에 알맞은 낱말을 보기 에서 찾아 빈칸에 쓰세요.

보기 덩실덩실 한꺼번에

(1) [　　　　] : 몰아서 한 번에. 또는 전부 다 동시에.

(2) [　　　　] : 신이 나서 팔다리와 어깨를 자꾸 흔들며 춤을 추는 모양.

5 빈칸에 들어갈 낱말을 보기 에서 찾아 빈칸에 쓰세요.

보기 갈랐어요 후회했어요

(1) 엄마는 고등어의 배를 [　　　　].
↳ 잘라서 열었어요.

(2) 청개구리는 엄마 말씀을 듣지 않은 것을 [　　　　].
↳ 이전의 잘못을 깨닫고 뉘우쳤어요.

6 다음 만화를 읽고, 빈칸에 들어갈 말을 쓰세요.

ㅈ

맞춤법 · 받아쓰기

정답과 해설 2쪽

7 **다음 문장에 들어갈 바른 낱말에 ○표 하세요.**

(1) 동화책을 읽고 나서 깨달음을 {얻다 / 어따}.

(2) 고양이가 새끼를 {나았어요 / 낳았어요}.

8 **밑줄 친 낱말을 바르게 고쳐 쓰세요.**

(1) 별이 환하게 빈나요.

→ 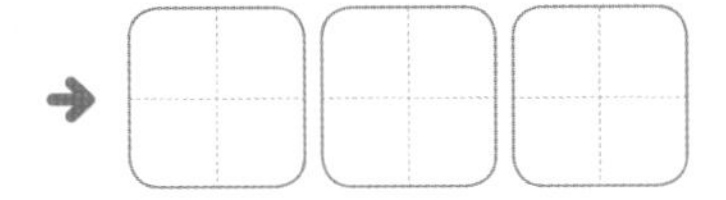

(2) 책상에 책이 높이 싸여 있어요.

→ 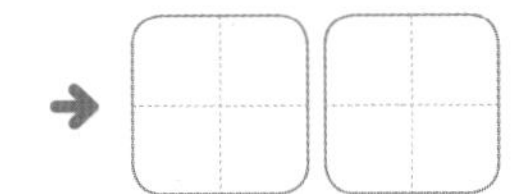

9 **들려주는 말을 잘 듣고 띄어쓰기에 유의하여 받아쓰세요.**

(1)

(2)

(3)

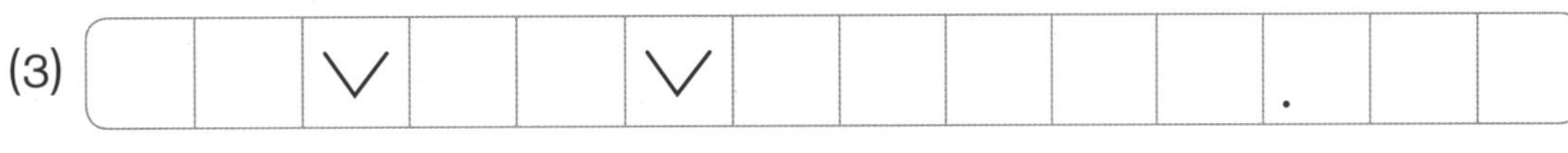

QR코드를 찍어 낱말 게임을 해 보세요.

맞은 개수 ______ /9개

Day 03

한자 성어

다다익선(多 많을 다 多 많을 다 益 더할 익 善 착할 선)

아는 어휘에 ✔ 표시를 해 보고, 어휘의 뜻을 생각하며 글을 읽어 보세요.

□ 비결 □ 대결 □ 두께 □ 종류

공부한 날

월 일

❶ **비결**: 세상에 알려지지 않은 자기만의 뛰어난 방법.

❷ **대결**: 둘이 서로 맞서서 우열(나음과 못함)이나 승패(승리와 패배)를 가림.

❸ **두께**: 물건의 두꺼운 정도.

❹ **다양한**: 색깔, 모양, 종류, 내용 등이 여러 가지로 많은.

❺ **종류**: 기준에 따라 여러 가지로 나눈 갈래.

❻ **다다익선**: 많으면 많을수록 좋음.

형진이와 옆 반 용식이는 각자 자기 반에서 딱지를 가장 잘 쳐요. 형진이는 용식이의 딱지치기 [1]**비결**이 무엇인지 궁금했어요.

오늘 형진이와 용식이는 딱지치기 [2]**대결**을 하기로 했어요. 형진이는 용식이를 꼭 이기고 싶었어요.

드디어 대결이 시작되었어요. 형진이는 가장 아끼는 딱지를 들었어요. 용식이는 형진이의 크고 얇은 딱지를 보더니 자기 딱지 주머니를 뒤적거렸어요. 그리고 작고 딱딱한 딱지를 꺼냈어요.

형진이는 깜짝 놀랐어요. 용식이의 주머니에는 모양과 크기, [3]**두께**가 [4]**다양한** 딱지가 있었어요. 용식이의 딱지치기 비결은 딱지를 내리치는 방법이 아니라 어떤 딱지든지 뒤집을 수 있는 여러 [5]**종류**의 딱지였던 거예요. 딱지가 많을수록 좋은 것이었죠.

형진이는 딱지를 열심히 쳤지만 용식이에게 지고 말았어요.

'딱지치기할 때 딱지는 [6]**다다익선**이구나.'

형진이는 다양한 딱지를 많이 만들어서 학교 딱지 왕이 되겠다고 마음먹었어요.

내용 이해하기

정답과 해설 3쪽

1 오늘은 어떤 날인지 빈칸에 들어갈 말을 글에서 찾아 쓰세요.

형진이와 용식이가 □□□□ 대결을 하는 날입니다.

2 용식이의 딱지치기 비결로 알맞은 그림에 ○표 하세요.

( )

( )

3 빈칸에 공통으로 들어갈 말을 글에서 찾아 쓰세요.

□□□□은 '많으면 많을수록 좋다.'라는 뜻이에요. 딱지치기 할 때 딱지는 □□□□이에요.

어휘 익히기

4 **다음 낱말의 알맞은 뜻을 찾아 선으로 이으세요.**

(1) 비결 •　　　• ① 서로 맞서서 우열이나 승패를 가림.

(2) 대결 •　　　• ② 세상에 알려지지 않은 자기만의 뛰어난 방법.

5 **빈칸에 들어갈 낱말을 보기 에서 찾아 쓰세요.**

보기	두께　　종류

(1) 언니는 여러 ☐☐의 상을 받았습니다.
↳ 기준에 따라 여러 가지로 나눈 갈래.

(2) 오늘 먹은 샌드위치는 ☐☐가 두꺼웠습니다.
↳ 물건의 두꺼운 정도.

6 **다음 빈칸에 공통으로 들어갈 말을 쓰세요.**

• 상은 ☐☐☐☐이니 많이 받을수록 좋아.

• 미술 시간에 색연필 색깔은 ☐☐☐☐이야.

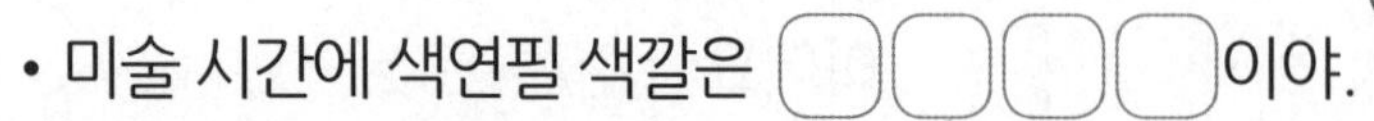

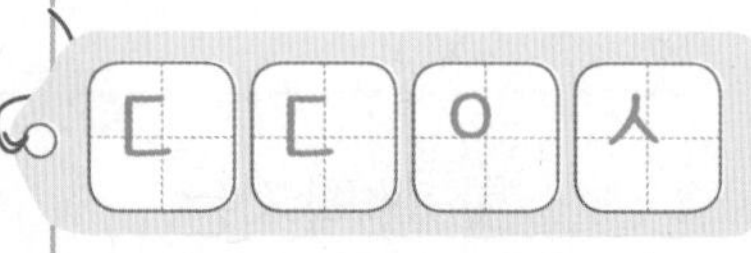

맞춤법 · 받아쓰기

7 **다음 문장에 들어갈 바른 낱말에 ○표 하세요.**

(1) {엽 / 옆} 반 친구들과 함께 놀았어요.

(2) 여름에는 {얄븐 / 얇은} 옷을 입어요.

정답과 해설 3쪽

8 **밑줄 친 낱말을 바르게 고쳐 쓰세요.**

(1) 태권도 데결을 했어요.

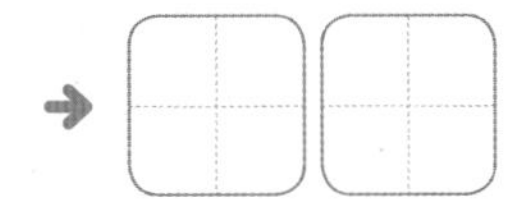

(2) 사탕이 만을수록 좋아요.

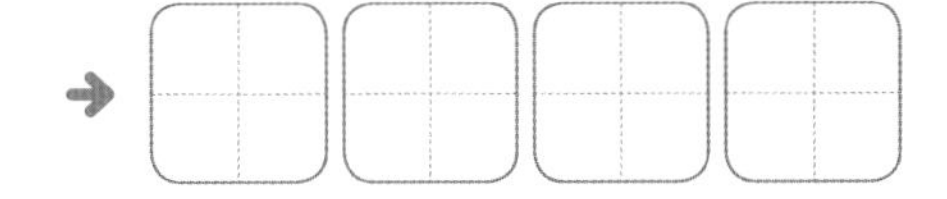

9 **들려주는 말을 잘 듣고 띄어쓰기에 유의하여 받아쓰세요.**

(1)

(2)

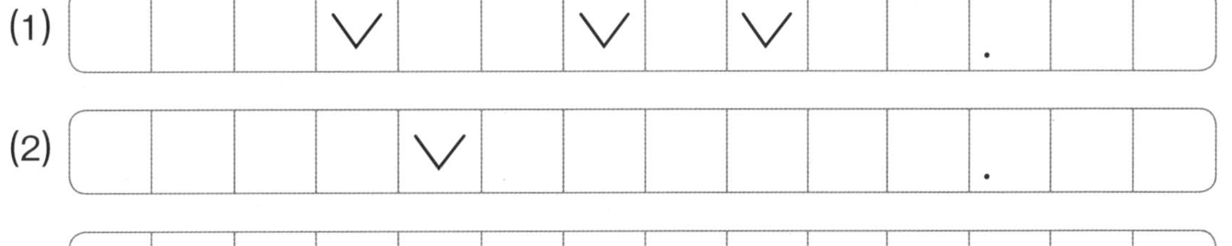

(3)

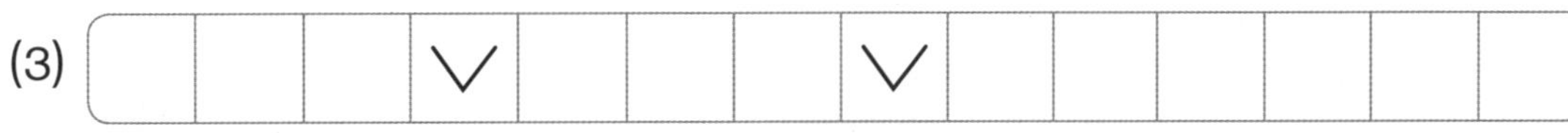

QR코드를 찍어 낱말 게임을 해 보세요.

스스로 붙임딱지

Day 04

교과 어휘

학교생활 규칙

아는 어휘에 ✔ 표시를 해 보고, 어휘의 뜻을 생각하며 글을 읽어 보세요.

☐ 설레다 ☐ 규칙 ☐ 부딪히다 ☐ 어른스럽다 ☐ 멋쩍다

공부한 날

월 일

❶ **입학했어요**: 학생이 되어 공부하기 위해 학교에 들어갔어요.

❷ **설레는**: 마음이 들떠서 두근거리는.

❸ **규칙**: 여러 사람이 지키도록 정해 놓은 법칙.

❹ **부딪혀서**: 매우 세게 마주 닿게 되어서.

❺ **어른스러운**: 나이는 어리지만 행동이나 생각이 어른 같은 데가 있는.

❻ **멋쩍은**: 어색하고 쑥스러운.

은진이는 어제 초등학교에 [1]**입학했어요**. 오늘은 친구들과 공부하는 첫날이에요. 은진이는 [2]**설레는** 마음으로 오빠와 함께 학교에 도착했어요. 은진이는 교실에 빨리 들어가고 싶은 마음에 현관에서부터 뛰기 시작했어요.

"은진아, 뛰지 마. 학교에서는 [3]**규칙**을 지켜야 해."

"규칙? 그게 뭔데?"

"친구들과 즐겁게 학교생활을 하려면 함께 지켜야 하는 것들이 있어. 그것이 바로 **학교생활 규칙**이야. 교실과 복도, 계단에서 뛰면 안 돼. 친구들과 [4]**부딪혀서** 다칠 수 있거든."

오빠는 꽤 [5]**어른스러운** 얼굴로 말을 이어갔어요.

"복도나 계단에서는 오른쪽으로 걸어야 해. 화장실에서는 줄을 서야 하고……."

오빠가 말을 끝내기도 전에 선생님께서 오빠를 부르셨어요.

"은섭아, 복도에서 뛰지 말라고 했는데 어제 급히 뛰어가더라."

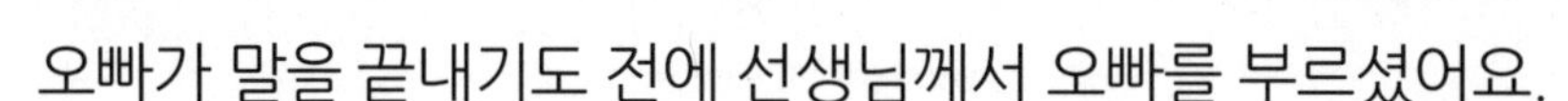

"약속 시간에 늦어서요. 죄송해요. 앞으로는 복도에서 뛰지 않을게요."

오빠는 은진이를 쳐다보며 [6]**멋쩍은** 표정을 지었어요.

은진이는 오늘 일을 통해 '뛰지 않기, 오른쪽으로 걷기, 줄 서기'와 같은 학교생활 규칙을 알게 되었고, 앞으로 규칙을 잘 지키기로 마음먹었어요.

내용 이해하기

정답과 해설 3쪽

1 **학교에 가는 은진이의 마음에 알맞은 낱말을 고르세요. (　　　)**

① 설레다　　　② 멋쩍다

2 **학교생활 규칙으로 알맞은 것에는 ○표, 알맞지 않은 것에는 X표 하세요.**

(1) 

(　　)

(2)

(　　)

(3) 

(　　)

3 **빈칸에 들어갈 낱말을 글에서 찾아 쓰세요.**

친구들과 즐겁게 학교생활을 하려면 함께 지켜야 하는 것이 있어요. 그것이 바로 학교생활 ☐☐이에요.

어휘 익히기

4 **다음 낱말의 알맞은 뜻을 찾아 선으로 이으세요.**

(1) 멋쩍다	(2) 설레다	(3) 어른스럽다
① 어색하고 쑥스럽다.	② 행동이나 생각이 어른 같은 데가 있다.	③ 마음이 들떠서 두근거리다.

5 **다음 상황에 알맞은 낱말을 고르세요. (　　　)**

① 뛰다
② 부딪히다
③ 줄을 서다

6 **'학교생활'에 대해 바르게 말한 친구에게 ○표 하세요.**

7 **다음 문장에 들어갈 바른 낱말에 ○표 하세요.**

(1) {압으로는 / 앞으로는} 거짓말을 하지 마세요.

(2) 수업 시간에 떠들지 {않을게요 / 않을께요}.

8 **밑줄 친 낱말을 바르게 고쳐 쓰세요.**

(1) <u>설래는</u> 마음으로 생일을 기다려요.

→ 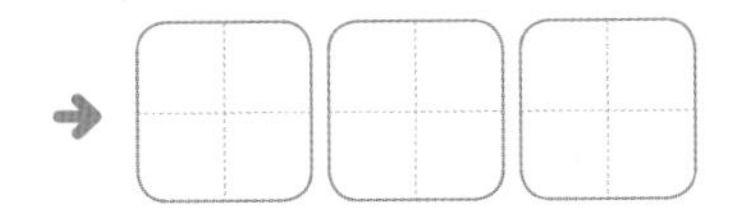

(2) <u>멋적은</u> 웃음을 지었어요.

→ 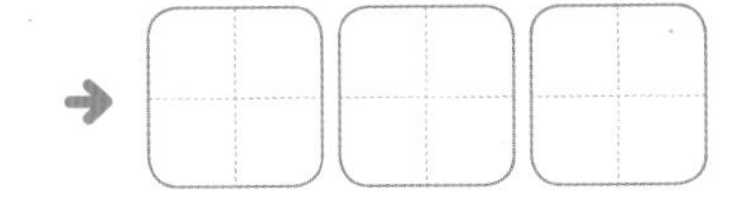

9 **들려주는 말을 잘 듣고 띄어쓰기에 유의하여 받아쓰세요.**

(1)
(2)
(3)

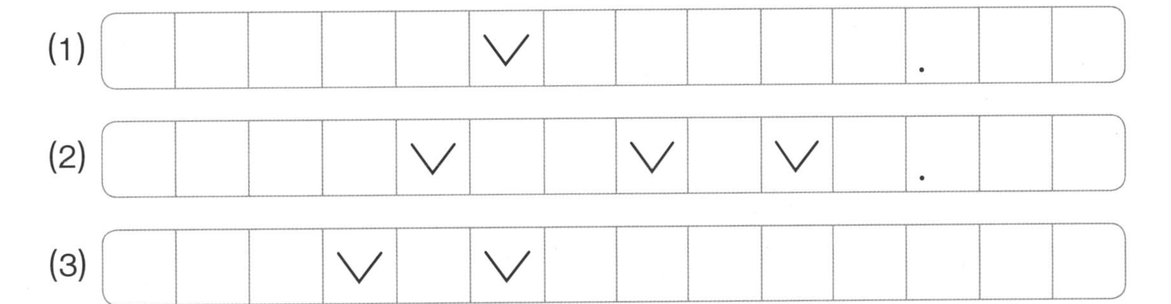

QR코드를 찍어 낱말 게임을 해 보세요.

Day 05 한자 어휘

학교(學校)

● 學(학)은 '배우다'를 뜻해요.

아이가 집에서 손에 책을 들고 있는 모습에서 만들어진 글자예요.

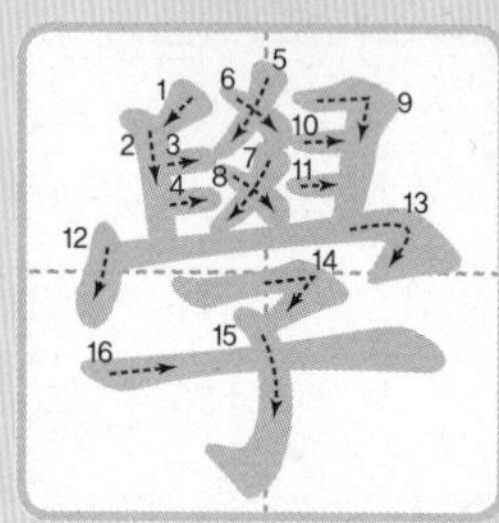

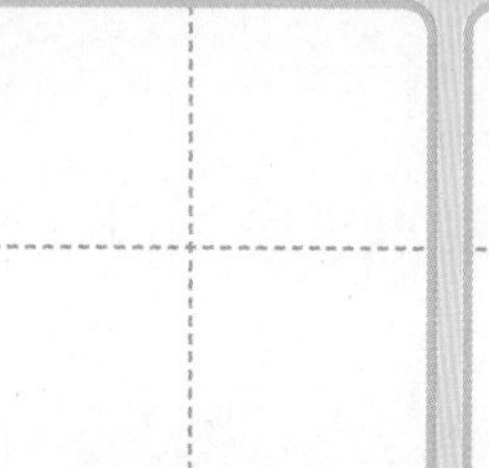

學(학)이 들어간 다음 어휘 중에서 아는 것에 ✓ 표시를 해 보세요.

□ 방학 □ 견학 □ 유학

방 학 놓을 放 배울 學	뜻 학교에서 한 학기가 끝나고 수업을 쉬는 것. 또는 그 기간. 예 우리 가족은 방학마다 할머니 댁에 가요.
견 학 볼 見 배울 學	뜻 직접 찾아가서 보고 배움. 예 엄마와 함께 박물관 견학을 다녀왔어요.
유 학 머무를 留 배울 學	뜻 다른 나라에서 지내며 공부함. 예 선호가 미국으로 유학을 가서 자주 볼 수 없어요.

공부한 날 월 일

校

학교 교

● 校(교)는 '학교'를 뜻해요.

나무 밑에서 학생들을 가르치는 모습에서 만들어진 글자예요.

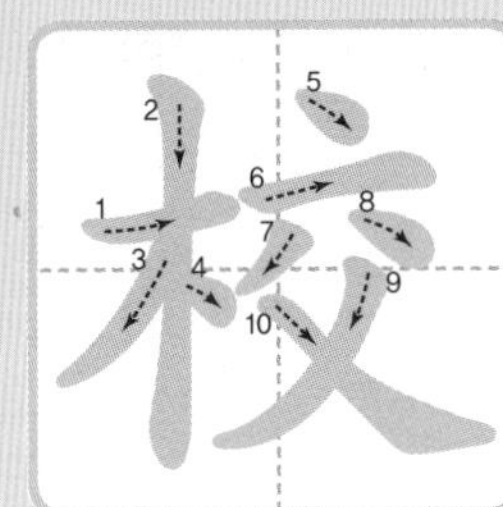

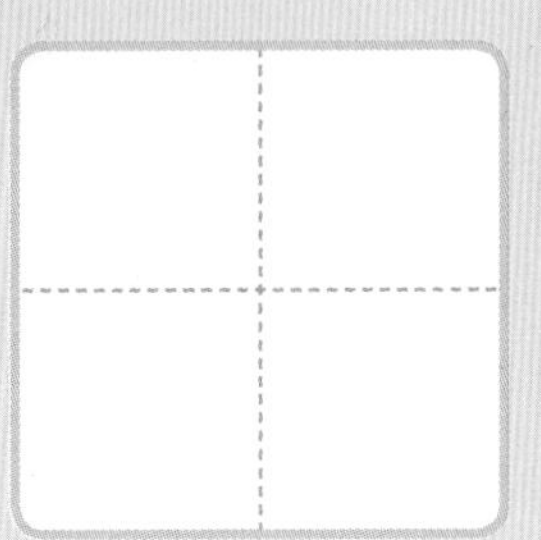

校(교)가 들어간 다음 어휘 중에서 아는 것에 ✓ 표시를 해 보세요.

□ 교가 □ 교칙 □ 등교

교(학교 校) 가(노래 歌)	뜻 학교를 나타내는 노래. 예 반 친구들과 우리 학교 교가를 불렀어요.
교(학교 校) 칙(법칙 則)	뜻 학교에서 지켜야 하는 규칙. 예 학교생활을 하려면 교칙을 지켜야 해요.
등(오를 登) 교(학교 校)	뜻 학생이 학교에 가는 것. 예 아침마다 언니와 함께 등교를 해요.

1 다음 한자의 알맞은 음(소리)과 뜻을 선으로 이으세요.

(1) 學 •　　　　• ① 학 •　　　　• ㉮ 학교

(2) 校 •　　　　• ② 교 •　　　　• ㉯ 배우다

2 다음 낱말의 알맞은 뜻을 찾아 선으로 이으세요.

(1) 방학 •　　　　• ① 학교에서 지켜야 하는 규칙.

(2) 교칙 •　　　　• ② 다른 나라에서 지내며 공부함.

(3) 유학 •　　　　• ③ 한 학기가 끝나고 수업을 쉬는 것.

3 빈칸에 들어갈 낱말을 보기 에서 찾아 쓰세요.

보기　견학　교가　등교

(1) 우리 학교 [ ] 는 부르기 쉬워요.

학교를 나타내는 노래.

(2) 매일 아침 같은 반 친구 민주와  를 해요.

학생이 학교에 가는 것.

(3) 우리는 지난 소풍 때 경복궁으로 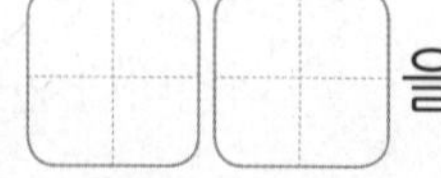 을 갔어요.

직접 찾아가서 보고 배움.

무슨 낱말일까요?

[4~5] 다음 그림을 보고 물음에 답하세요.

4 그림 속 빈칸에 '학(學)'과 '교(校)' 가운데에서 알맞은 글자를 쓰세요.

5 빈칸에 들어갈 낱말을 쓰세요.

(1) ☐☐ 들이 밝은 얼굴로 학교에 가요.

(2) 학교 보안관 아저씨가 ☐☐ 앞에 서 계세요.

(3) 학교 울타리를 지나 ☐☐ 로 들어가요.

QR코드를 찍어
낱말 게임을
해 보세요.
1단계 05 낱말 게임

맞은 개수 ______ /5개

스스로 붙임딱지

1주차 | 복습

정답과 해설 4쪽

다음 뜻에 알맞은 낱말을 퍼즐판에서 찾고 빈칸에 쓰세요.

건		비		설
방	대	결		레
지	후	회	하	다
다		등	교	견
				학

(1) □ 방 □ □ : 자신의 분수를 모르고 지나치게 잘난 척하다.

(2) 후 □ □ □ : 이전의 잘못을 깨닫고 뉘우치다.

(3) 비 □ : 세상에 알려지지 않은 자신만의 뛰어난 방법.

(4) □ 결 : 둘이 서로 맞서서 우열이나 승패를 가림.

(5) □ 레 □ : 마음이 들떠서 두근거리다.

(6) □ 학 : 직접 찾아가서 보고 배움.

(7) 등 □ : 학생이 학교에 가는 것.

2주 어휘 미리보기

뜻을 알고 있는 어휘에 ✔ 표 해 보세요.

	배울 내용	배울 어휘	공부한 날
Day 06	속담 백지장도 맞들면 낫다	☐ 의형제 ☐ 내기 ☐ 둑 ☐ 콸콸	월 일
Day 07	관용어 입이 가볍다	☐ 두리번거리다 ☐ 몰다 ☐ 감히 ☐ 어기다	월 일
Day 08	한자 성어 동문서답(東問西答)	☐ 당부하다 ☐ 새다 ☐ 엉뚱하다 ☐ 침착하다 ☐ 소스라치다	월 일
Day 09	교과 어휘 자연 보호	☐ 물질 ☐ 농약 ☐ 폐수 ☐ 분리배출 ☐ 재활용 ☐ 오염시키다	월 일
Day 10	한자 어휘 대소(大小)	☐ 대문 ☐ 대륙 ☐ 거대 ☐ 소심 ☐ 소포 ☐ 왜소	월 일

Day 06

속담

백지장도 맞들면 낫다

아는 어휘에 ✓ 표시를 해 보고, 어휘의 뜻을 생각하며 글을 읽어 보세요.

□ 의형제 □ 내기 □ 둑 □ 콸콸

공부한 날

월 일

❶ **의형제**: 남남인 사람들끼리 의로 맺은 형제.

❷ **내기**: 걸어 놓은 물건이나 돈을 이긴 사람이 갖기로 미리 약속을 하고 승부를 겨룸.

❸ **둑**: 물이 흘러넘치는 것을 막기 위해서 돌이나 흙 등으로 높이 막아 쌓은 긴 언덕.

❹ **휙휙**: 계속해서 매우 세게 던지거나 뿌리치는 모양.

❺ **콸콸**: 많은 양의 액체가 급히 세차게 쏟아져 흐르는 소리.

❻ **허우적댔어요**: 손이나 발을 자주 이리저리 마구 흔들었어요.

❼ **백지장도 맞들면 낫다**: 아무리 쉬운 일이라도 서로 도와서 하면 훨씬 더 쉽다.

옛날에 큰손이, 콧김이, 오줌이, 배돌이, 무쇠발이라는 친구들이 살았어요. 이 다섯 친구는 서로 마음이 잘 맞아서 ❶**의형제**를 맺었어요. 그리고 함께 세상 구경을 하러 길을 떠났어요. 그런데 갑자기 호랑이들이 나타났어요.

"재주꾼 오 형제야, 우리 호랑이 오 형제와 ❷**내기**를 하자. 너희가 이기면 살려 주고, 우리가 이기면 너희를 잡아먹겠다. 어흥!"

첫 번째 내기는 '나무 많이 하기'였어요. 손이 큰 큰손이가 나무를 쑥쑥 뽑아 쉽게 이겼어요.

두 번째 내기는 '❸**둑** 높이 쌓기'였어요. 힘센 배돌이가 둑을 쌓았지만 호랑이들이 위쪽 둑을 무너뜨려 물이 흘러넘치려고 했어요. 그러자 큰손이가 돌을 ❹**휙휙** 집어 던져 물을 막고 내기에서 이겼어요.

세 번째 내기는 '나뭇단 쌓기'였어요. 호랑이가 나무를 던지면 재주꾼 오 형제가 나뭇단을 쌓는 것이었어요. 오 형제는 힘을 모아 나뭇단을 높게 쌓았어요. 하지만 호랑이들은 지쳐 쓰러졌어요.

호랑이들은 마지막 내기에서도 지자 나뭇단에 불을 질렀어요. 그때 오줌이가 ❺**콸콸** 오줌을 누었어요. 불은 금방 꺼졌고, 호랑이들은 오줌 강에서 ❻**허우적댔어요**. 재주꾼 오형제는 배돌이의 배에 올라탔어요. 콧김이가 콧바람을 불어 강을 얼리고 무쇠발이가 무쇠발로 호랑이들을 쿵쿵 쳐서 혼내 주었어요.

"❼'**백지장도 맞들면 낫다**'더니! 힘을 합치니 호랑이들을 이길 수 있었어!"

재주꾼 오 형제는 만세를 불렀어요.

내용 이해하기

1 **재주꾼 오 형제가 길을 떠난 까닭을 고르세요. (   )**

① 세상 구경을 하려고
② 호랑이와 싸워 이기려고
③ 자신들의 능력을 자랑하려고

2 **다음 행동을 한 사람은 누구인지 선으로 이으세요.**

(1) 나무를 쑥쑥 뽑았어요. •   • ① 큰손이
(2) 오줌을 누어서 불을 껐어요. •   • ② 콧김이
(3) 콧바람으로 강을 얼렸어요. •   • ③ 오줌이

3 **빈칸에 들어갈 낱말을 글에서 찾아 쓰세요.**

재주꾼 오 형제가 서로 힘을 합쳐 호랑이들을 물리쳤어요. 이처럼 서로 힘을 합치면 일이 훨씬 더 쉽다는 뜻의 속담은 '☐☐☐도 맞들면 낫다'예요.

어휘 익히기

4 다음 낱말의 알맞은 뜻을 찾아 선으로 이으세요.

(1) 내기 •　　　　• ① 남남인 사람들끼리 의로 맺은 형제.

(2) 둑 •　　　　• ② 물이 넘치는 것을 막기 위해 높이 쌓은 긴 언덕.

(3) 의형제 •　　　　• ③ 물건이나 돈을 이긴 사람이 갖기로 하고 승부를 겨룸.

5 다음 그림을 보고, 빈칸에 들어갈 낱말을 쓰세요.

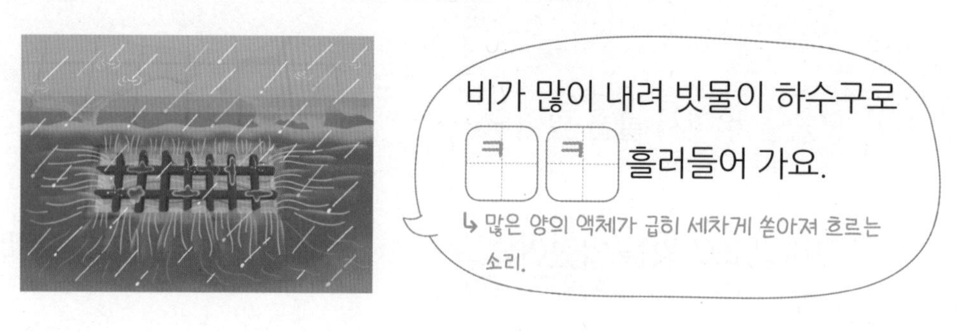

6 다음 만화를 읽고, 빈칸에 들어갈 말을 고르세요. (　　　)

① 뿌린 대로 거둔다　② 백지장도 맞들면 낫다　③ 호랑이도 제 말 하면 온다

맞춤법 · 받아쓰기

정답과 해설 4쪽

7 **다음 문장에 들어갈 바른 낱말에 ○표 하세요.**

(1) {갑자기 / 갑짜기} 큰 소리가 났어요.

(2) 강물에 돌을 {던저 / 던져} 보았어요.

8 **밑줄 친 낱말을 바르게 고쳐 쓰세요.**

(1) 우리는 마음이 잘 <u>마자서</u> 친해요.

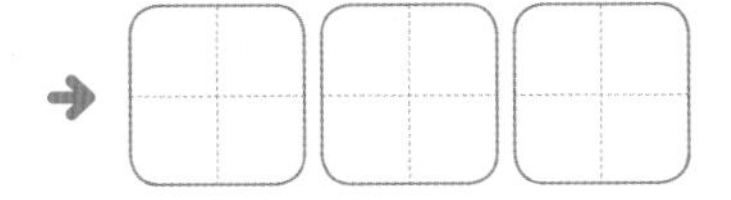

(2) 문제를 <u>십게</u> 풀었어요.

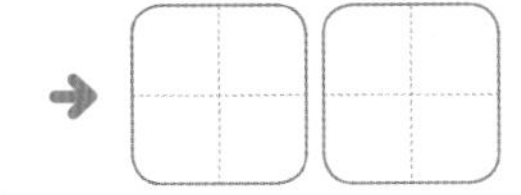

9 **들려주는 말을 잘 듣고 띄어쓰기에 유의하여 받아쓰세요.**

(1)

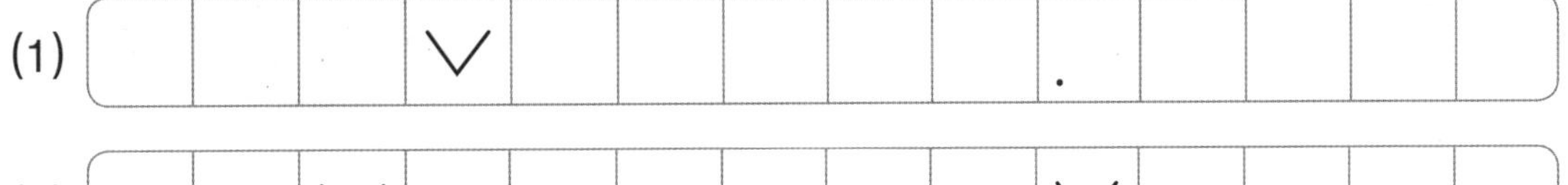

(2)

(3)

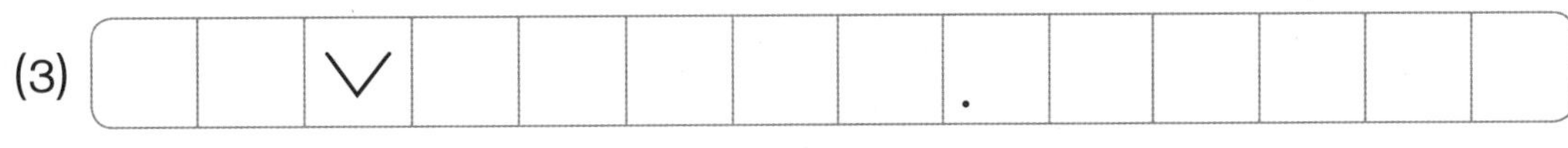

QR코드를 찍어 낱말 게임을 해 보세요.

스스로 붙임딱지

Day 07

관용어

입이 가볍다

아는 어휘에 ✓ 표시를 해 보고, 어휘의 뜻을 생각하며 글을 읽어 보세요.

□ 두리번거리다 □ 몰다 □ 감히 □ 어기다

공부한 날

월 일

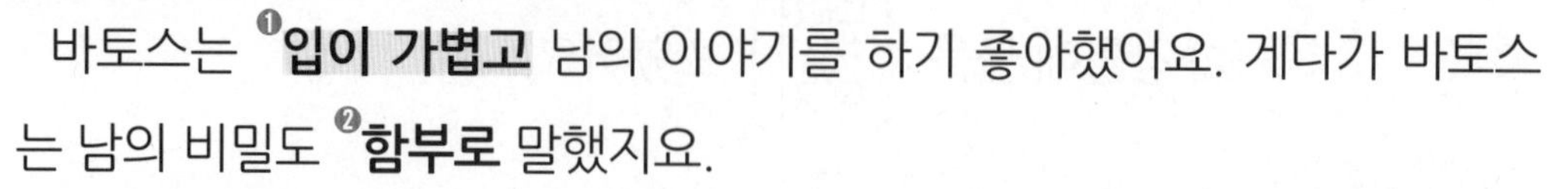

바토스는 [1]**입이 가볍고** 남의 이야기를 하기 좋아했어요. 게다가 바토스는 남의 비밀도 [2]**함부로** 말했지요.

어느 날 저녁, 바토스가 집으로 돌아가는데 한 꼬마가 주위를 [3]**두리번거리며** 소 [4]**떼**를 끌고 가고 있었어요.

'이상하네. 저 소는 아폴론 신의 소인데?'

바토스는 꼬마의 뒤를 몰래 따라갔어요. 꼬마는 풀숲을 지나고 시냇물을 건너 큰 동굴로 소들을 [5]**몰았어요**.

"네가 [6]**감히** 아폴론 신의 소를 훔쳤느냐!"

바토스는 꼬마의 손목을 잡고 큰 소리로 말했어요.

"나는 헤르메스 신이다. 소 한 마리를 줄 테니 내가 소를 숨겨 둔 것을 누구에게도 말하면 안 된다!"

바토스는 소 한 마리를 얻을 생각에 웃으며 그러겠다고 했어요.

며칠이 지나 아폴론 신이 바토스를 찾아왔어요.

"내 소가 없어졌소. 소가 있는 곳을 말해 주면 소 두 마리를 주겠소."

"헤르메스 신이 동굴에 숨겨 두었소."

바토스는 소 두 마리를 얻을 생각에 헤르메스 신과의 약속을 [7]**어겼어요**. 헤르메스 신은 나무 뒤에서 바토스가 하는 말을 듣고 화가 났어요.

"감히 신과의 약속을 어기다니! 바토스는 돌이 되어라!"

헤르메스 신이 소리치자, 바토스는 그 자리에서 돌이 되었답니다.

❶ **입이 가볍고**: 말이 많고 비밀을 잘 지키지 않고.

❷ **함부로**: 조심하거나 깊이 생각하지 않고 마구.

❸ **두리번거리며**: 눈을 크게 뜨고 자꾸 여기저기를 살펴보며.

❹ **떼**: 사람이나 동물이 한데 많이 모여 있는 것.

❺ **몰았어요**: 어떤 것을 바라는 방향이나 장소로 움직여 가게 했어요.

❻ **감히**: 말이나 행동이 주제넘게.

❼ **어겼어요**: 규칙이나 약속, 명령 등을 지키지 않았어요.

내용 이해하기

1 바토스는 어떤 사람인지 알맞은 것을 고르세요. (　　　)

① 남의 이야기를 하기 좋아해요.
② 다른 사람의 비밀을 잘 지켜요.
③ 욕심이 없고 좋은 일을 찾아서 해요.

2 바토스가 헤르메스 신과의 약속을 지키지 않은 까닭을 고르세요. (　　　)

① 헤르메스 신이 바토스의 소를 모두 빼앗아서
② 헤르메스 신이 바토스에게 약속했던 소를 주지 않아서
③ 아폴론 신이 소가 있는 곳을 말해 주면 소 두 마리를 주겠다고 해서

3 빈칸에 들어갈 말을 글에서 찾아 쓰세요.

바토스는 □□ □□□ 남의 이야기를 하기 좋아했어요. 남의 비밀도 함부로 말했지요. 헤르메스 신과의 약속도 지키지 않아서 결국 돌이 되고 말았어요.

어휘 익히기

4 **다음 낱말의 알맞은 뜻을 찾아 선으로 이으세요.**

(1) 몰다 •　　　　•① 규칙이나 약속 등을 지키지 않는다.

(2) 어기다 •　　　　•② 눈을 크게 뜨고 자꾸 여기저기를 살펴보다.

(3) 두리번거리다 •　　　　•③ 어떤 것을 바라는 방향으로 움직여 가게 하다.

5 **다음 빈칸에 공통으로 들어갈 낱말을 고르세요. (　　　)**

① 감히　　　② 어머나　　　③ 도무지

6 **다음 대화를 읽고, 빈칸에 들어갈 말을 고르세요. (　　　)**

윤지: 너, 체육 시간에 내가 발차기하다 바지 찢어졌다고 말하고 다녔다며?
현수: 응? 응…….
윤지: 너 정말 [　　　　　]. 나한테는 창피한 일이라고!
현수: 미안해. 앞으로는 말조심할게.

① 배가 아프구나　　　② 입이 가볍구나

맞춤법 · 받아쓰기

정답과 해설 5쪽

7 **다음 문장에 들어갈 바른 낱말에 ○표 하세요.**

(1) 양치기 개가 양 {때 /떼}를 우리로 몰았어요.

(2) 도둑이 보석을 {훔쳤어요 / 훔쳐어요}.

8 **밑줄 친 낱말을 바르게 고쳐 쓰세요.**

(1) 풀숩에서 개구리를 보았어요.

→ 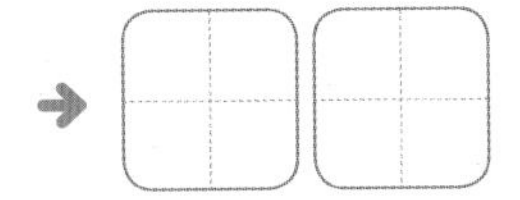

(2) 시낸물 속에서 작은 물고기가 헤엄치고 있어요.

→ 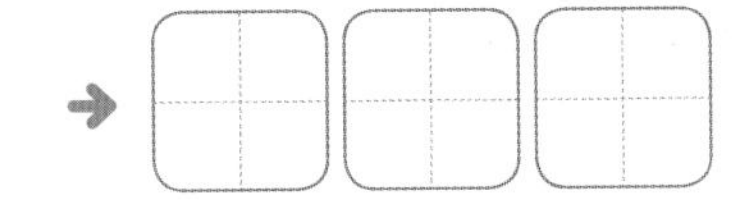

9 **들려주는 말을 잘 듣고 띄어쓰기에 유의하여 받아쓰세요.**

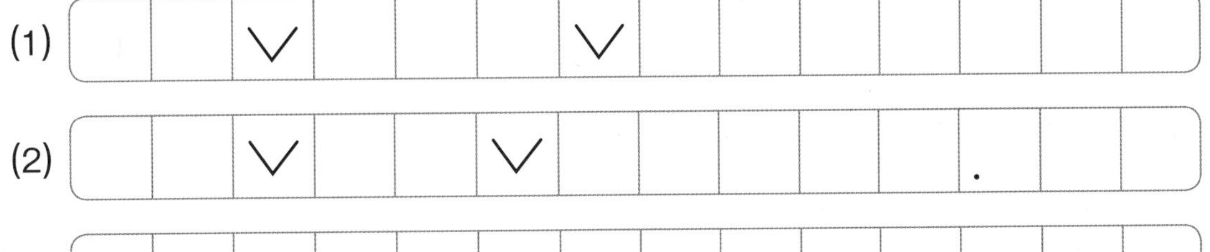

QR코드를 찍어 낱말 게임을 해 보세요.

맞은 개수 ______ /9개

스스로 붙임딱지

Day 08

한자 성어

동문서답(東 동녘 동 問 물을 문 西 서녘 서 答 대답 답)

아는 어휘에 ✔ 표시를 해 보고, 어휘의 뜻을 생각하며 글을 읽어 보세요.

□ 당부하다 □ 새다 □ 엉뚱하다 □ 침착하다 □ 소스라치다

공부한 날

월 일

❶ **당부했어요**: 꼭 해 줄 것을 말로 단단히 부탁했어요.

❷ **새지**: 원래 가야 할 곳으로 가지 않고 딴 데로 가지.

❸ **당황하지**: 놀라거나 매우 급하여 어떻게 해야 할지를 모르지.

❹ **엉뚱한**: 보통 사람들이 생각하는 것과 전혀 다른.

❺ **동문서답**: 묻는 말과 전혀 상관이 없는 대답.

❻ **침착하게**: 쉽게 흥분하지 않고 행동이 조심스럽고 차분하게.

❼ **소스라치게**: 깜짝 놀라 갑자기 몸을 떨듯이 움직이게.

어느 동네에 항상 파란 모자를 쓰는 아이가 있었어요. 그래서 사람들은 그 아이를 '파란 모자'라고 불렀지요. 어느 날, 파란 모자가 산 너머 할머니 댁으로 심부름을 가게 되었어요. 어머니는 파란 모자에게 ❶**당부했어요**.

"늑대를 조심해. 중간에 다른 길로 ❷**새지** 말고."

"걱정 마세요. 빨리 다녀올게요."

파란 모자는 할머니께 드릴 약을 챙겨서 길을 떠났어요.

"꼬마야, 어디 가니?"

어디선가 늑대가 나타났어요. 파란 모자는 깜짝 놀랐어요. 하지만 ❸**당황하지** 않고 늑대의 물음에 ❹**엉뚱한** 대답을 하기로 마음먹었어요.

"꼬마야, 어디 가냐고?"

"여기 이 꽃 좀 보세요. 정말 예뻐요!"

파란 모자가 엉뚱한 대답을 하자, 늑대는 다시 물었어요.

"꼬마야, 할머니 댁에 가니?"

"파란 모자 말고 초록 모자를 쓰면 어떨까요?"

늑대는 파란 모자의 말을 듣고 참다못해 소리를 질렀어요.

"너 자꾸 ❺**동문서답**할래? 어디 가냐고 묻잖아!"

파란 모자는 무서웠지만 ❻**침착하게** 말했어요.

"오늘 숲에 사냥꾼들이 많이 왔다던데……. 저기 사냥꾼이 있네요."

그 말을 들은 늑대는 ❼**소스라치게** 놀라 도망갔어요.

내용 이해하기

정답과 해설 5쪽

1 **늑대의 물음에 파란 모자가 한 대답을 고르세요. (　　　)**

① 약을 드리러 할머니 댁에 가요.

② 여기 이 꽃 좀 보세요. 정말 예뻐요!

2 **파란 모자가 늑대의 물음에 엉뚱한 대답을 한 까닭을 고르세요. (　　　)**

① 꽃이 매우 예뻐서

② 초록 모자를 쓰고 싶어서

③ 할머니 댁에 가는 것을 말하지 않으려고

3 **빈칸에 들어갈 말을 글에서 찾아 쓰세요.**

늑대는 파란 모자가 자신이 묻는 말과 상관없는 대답을 해서 답답했어요. 파란 모자가 한 것처럼 다른 사람이 묻는 말과 전혀 상관없는 대답을 하는 것을 '□□□□'이라고 해요.

어휘 익히기

4 다음 낱말의 알맞은 뜻을 찾아 선으로 이으세요.

(1) 새다 • •① 꼭 해 줄 것을 말로 단단히 부탁하다.

(2) 당부하다 • •② 가야 할 곳으로 가지 않고 딴 데로 가다.

(3) 엉뚱하다 • •③ 보통 사람들이 생각하는 것과 전혀 다르다.

5 다음 그림에 어울리는 낱말을 보기 에서 찾아 쓰세요.

보기
침착하다
소스라치다

6 다음 물음에 동문서답한 친구에게 ○표 하세요.

7 **다음 문장에 들어갈 바른 낱말에 ○표 하세요.**

(1) 할머니 {집 / 댁}에 놀러 갔어요.

(2) 할머니께 {줄 / 드릴} 약을 사 왔어요.

8 **밑줄 친 낱말을 바르게 고쳐 쓰세요.**

(1) 약을 <u>쳉겼어요</u>.

→ 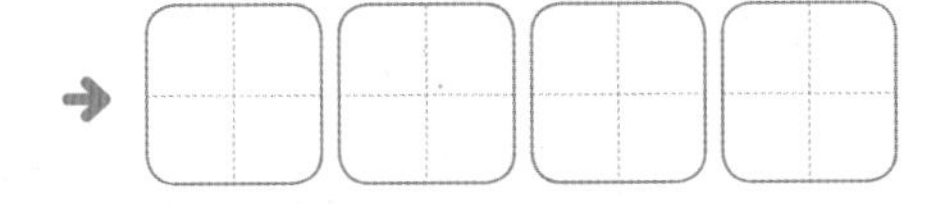

(2) 구름이 정말 <u>에뻐요</u>.

→ 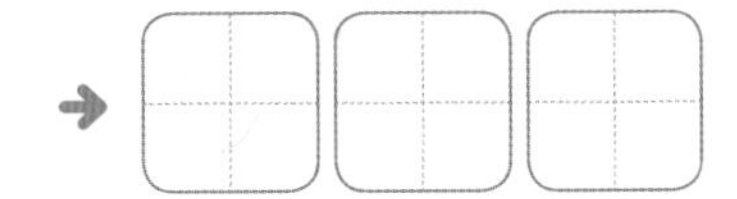

9 **들려주는 말을 잘 듣고 띄어쓰기에 유의하여 받아쓰세요.**

(1) 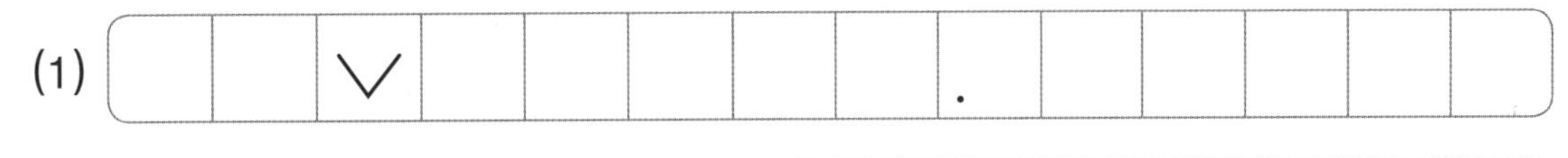

(2) 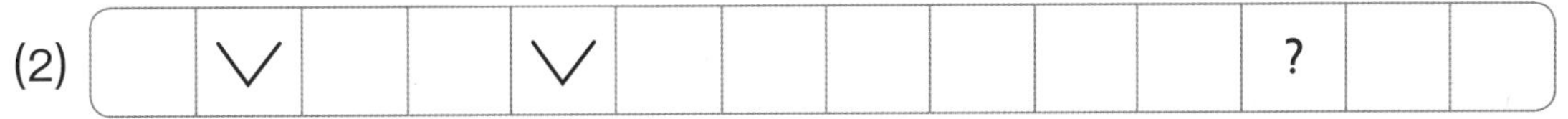

(3) 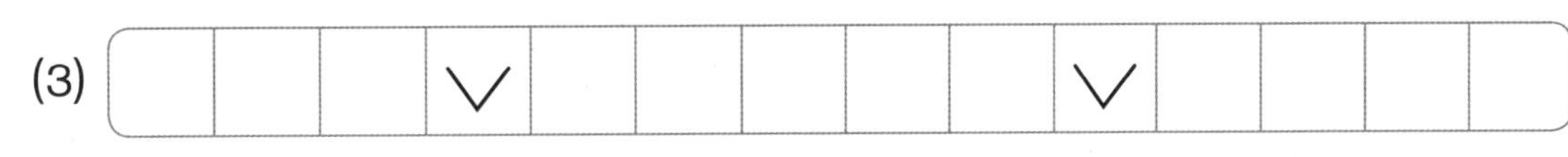

QR코드를 찍어 낱말 게임을 해 보세요.

스스로 붙임딱지

Day 09

교과 어휘

자연 보호

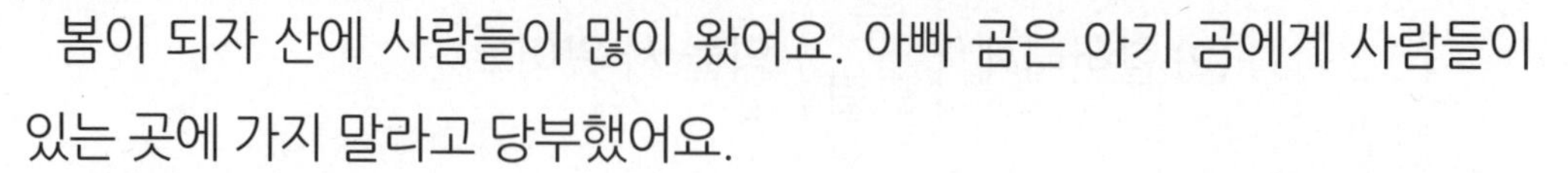

아는 어휘에 ✔ 표시를 해 보고, 어휘의 뜻을 생각하며 글을 읽어 보세요.

□ 물질 □ 농약 □ 폐수 □ 분리배출 □ 재활용 □ 오염시키다

공부한 날

월 일

❶ **물질**: 물체의 본바탕.

❷ **농약**: 농작물에 해로운 벌레, 잡초 등을 없애거나 농작물이 잘 자라게 하는 약품.

❸ **폐수**: 공장 등에서 쓰고 난 뒤에 버리는 더러운 물.

❹ **파괴하는**: 때려 부수거나 깨뜨려 무너뜨리는.

❺ **자연 보호**: 인간이 살아가는 터전인 자연이 파괴되지 않도록 지키고 더 좋은 환경으로 가꾸는 일.

❻ **분리배출**: 쓰레기 등을 종류별로 나누어서 버림.

❼ **재활용**: 쓰고 버리는 물건을 다른 데에 다시 사용하는 일.

❽ **오염시키지**: 더러운 상태가 되게 하지.

❾ **환경**: 생물이 살아가는 데 영향을 주는 자연 상태나 조건.

❿ **보존하는**: 중요한 것을 잘 보호하여 그대로 남기는.

봄이 되자 산에 사람들이 많이 왔어요. 아빠 곰은 아기 곰에게 사람들이 있는 곳에 가지 말라고 당부했어요.

"쓰레기 주변에 가면 안 돼. 쓰레기가 썩으면서 나쁜 ❶**물질**이 나온단다. 농사짓는 곳에도 가면 안 돼. ❷**농약**이 독해서 농작물을 먹으면 위험해. 공장 근처의 물도 마시지 마! ❸**폐수**를 마시면 아프단다."

그러던 어느 날, 아기 곰은 산속에서 쓰레기를 줍는 아이를 보았어요. 아기 곰은 신기하게 쳐다보다가 아이와 눈이 마주쳤어요.

"사람들은 자연을 ❹**파괴하는** 일만 하는 줄 알았어."

아기 곰이 조심스럽게 말하자, 아이가 대답했어요.

"아니야. 동식물을 사랑하고 ❺**자연 보호**를 위해 노력하는 사람들도 많아. 우리가 ❻**분리배출**을 잘해서 쓰레기를 줄이고, 자원을 ❼**재활용**할게. 물도 땅도 ❽**오염시키지** 않을게."

아이와 아기 곰은 서로를 바라보며 미소 지었어요.

자연 보호는 우리가 사는 곳을 더 좋은 ❾**환경**으로 만들어 동식물의 생명을 ❿**보존하는** 일이에요. 우리도 자연 보호를 위해 노력하여 사람과 자연 모두가 잘 살 수 있는 환경을 만들어 봐요.

내용 이해하기

정답과 해설 6쪽

1 **아기 곰이 산속에서 본 아이의 모습에 ○표 하세요.**

2 **아기 곰과 아이의 생각으로 알맞은 것을 각각 선으로 이으세요.**

(1)  •

(2)  •

• ① 자연 보호를 위해 노력하는 사람들도 많아.

• ② 사람들은 자연을 파괴하는 일만 해.

3 **빈칸에 들어갈 말을 글에서 찾아 쓰세요.**

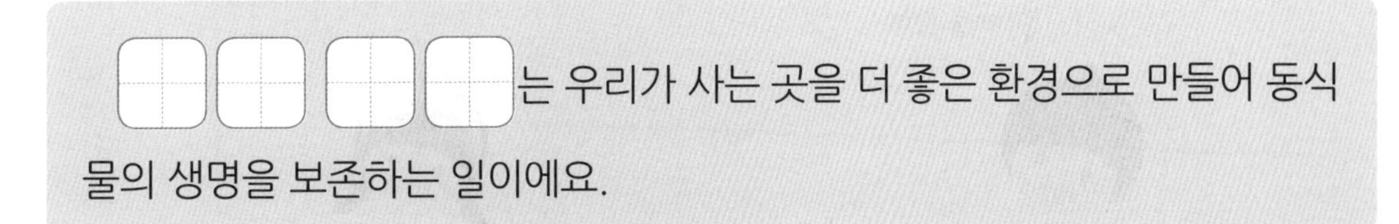

□□ □□는 우리가 사는 곳을 더 좋은 환경으로 만들어 동식물의 생명을 보존하는 일이에요.

어휘 익히기

4 다음 낱말의 알맞은 뜻을 찾아 선으로 이으세요.

(1) 물질 •		• ① 물체의 본바탕.
(2) 농약 •		• ② 공장에서 쓰고 버리는 더러운 물.
(3) 폐수 •		• ③ 농작물이 잘 자라게 하는 약품.

5 다음 그림을 보고, 빈칸에 알맞은 낱말을 쓰세요.

(1)

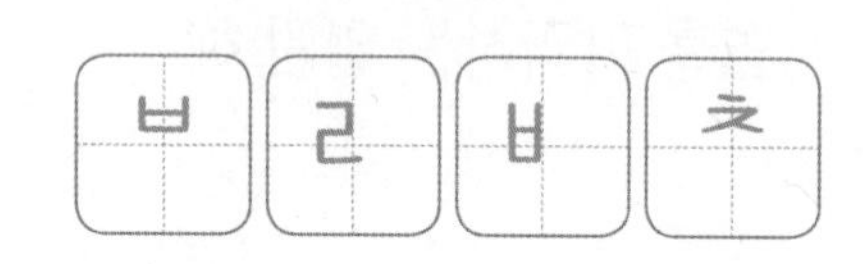

을 잘해서 쓰레기를 줄이자.

(2)

자원을

ㅈ ㅎ ㅇ

하자.

(3)

물과 땅을

ㅇ ㅇ 시키지

말자.

6 자연 보호를 실천하는 친구에게 ○표 하세요.

맞춤법 · 받아쓰기

정답과 해설 6쪽

7 **다음 문장에 들어갈 바른 낱말에 ○표 하세요.**

(1) 위험한 곳에 가지 {마라고 / 말라고} 당부했어요.

(2) 과자 상자로 장난감을 {만드러 / 만들어} 보았어요.

8 **밑줄 친 낱말을 바르게 고쳐 쓰세요.**

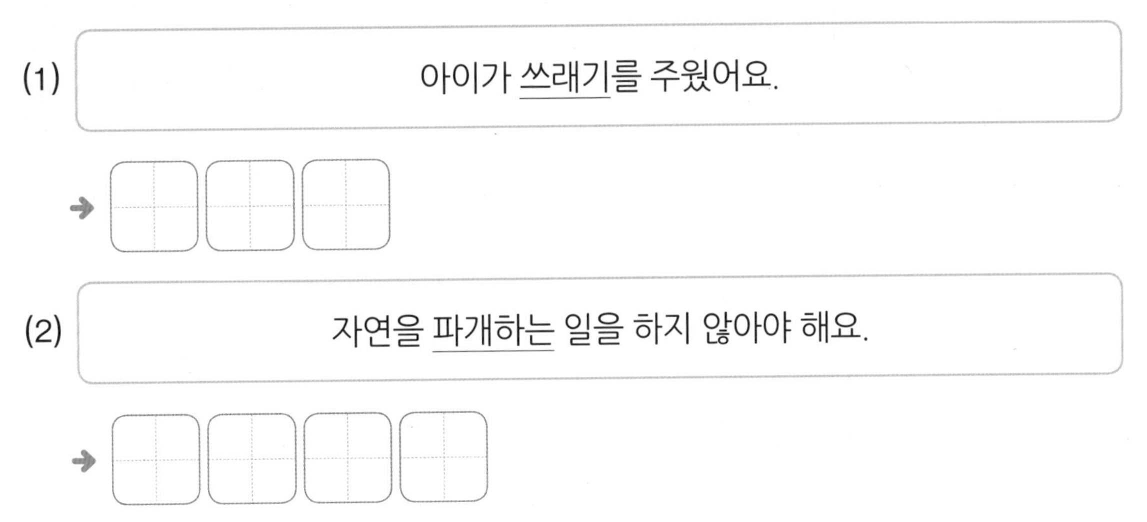

(1) 아이가 <u>쓰래기</u>를 주웠어요.

→ □□□

(2) 자연을 <u>파개하는</u> 일을 하지 않아야 해요.

→ □□□□

9 **들려주는 말을 잘 듣고 띄어쓰기에 유의하여 받아쓰세요.**

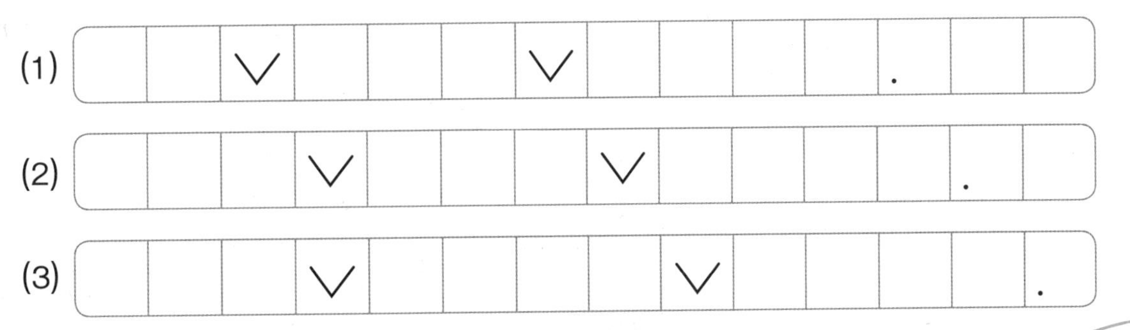

(1)

(2)

(3)

QR코드를 찍어 낱말 게임을 해 보세요.

Day 10

한자 어휘

대소(大小)

● 大(대)는 '크다'를 뜻해요.

사람이 양팔을 크게 벌리고 서 있는 모습에서 만들어진 글자예요.

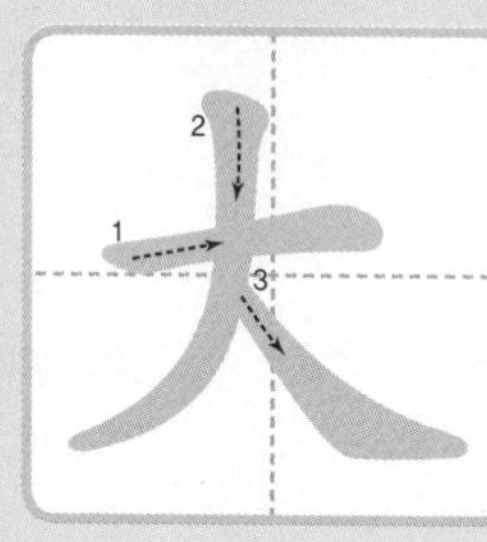

大(대)가 들어간 다음 어휘 중에서 아는 것에 ✓ 표시를 해 보세요.

- [ ] 대문
- [ ] 대륙
- [ ] 거대

대(클 大) 문(문 門)	뜻 큰 문. 예 할머니 댁 대문이 활짝 열려 있어요.
대(클 大) 륙(육지 陸)	뜻 바다로 둘러싸인 크고 넓은 땅. 예 지구의 땅은 여섯 개의 대륙으로 이루어져 있어요.
거(클 巨) 대(클 大)	뜻 엄청나게 큼. 예 어젯밤 꿈에 거대한 공룡이 저를 쫓아왔어요.

'대소'는 크고 작음을 나타내는 말이에요.

공부한 날 월 일

小
작을 소

● 小(소)는 '작다'를 뜻해요.

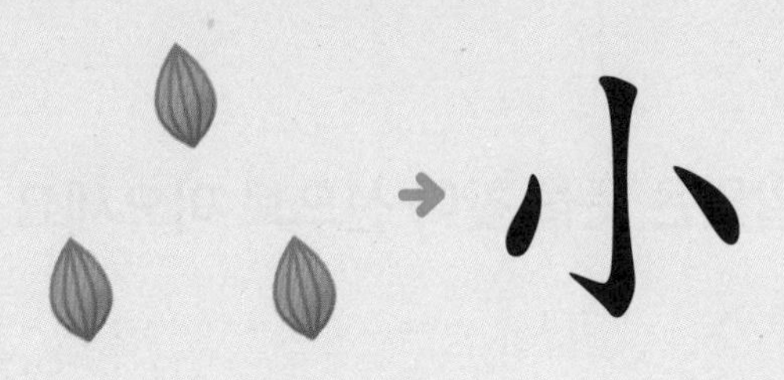

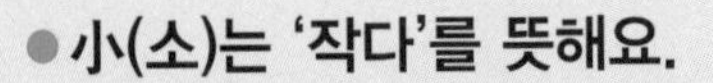

곡식의 작은 낱알이 흩어진 모습에서 만들어진 글자예요.

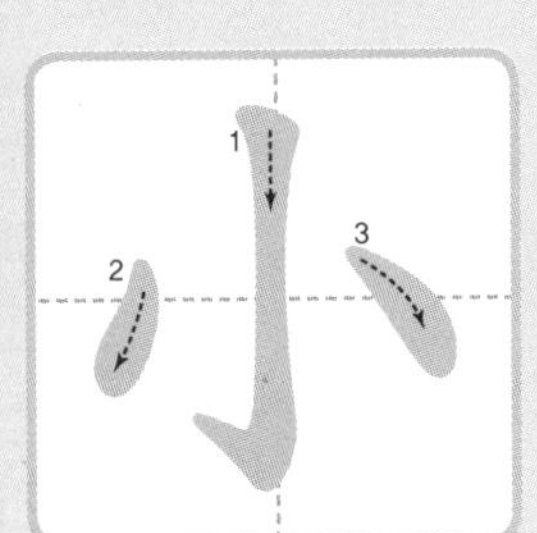

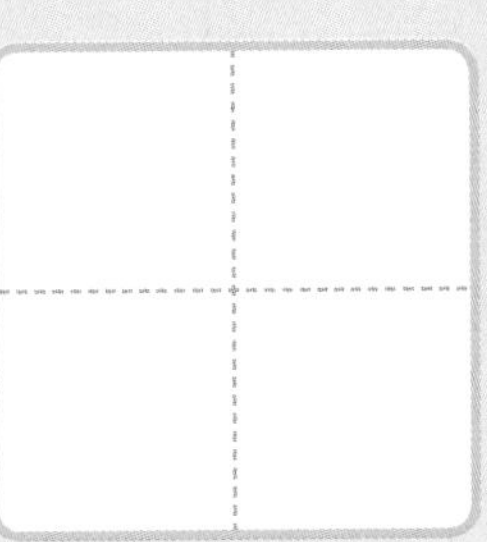

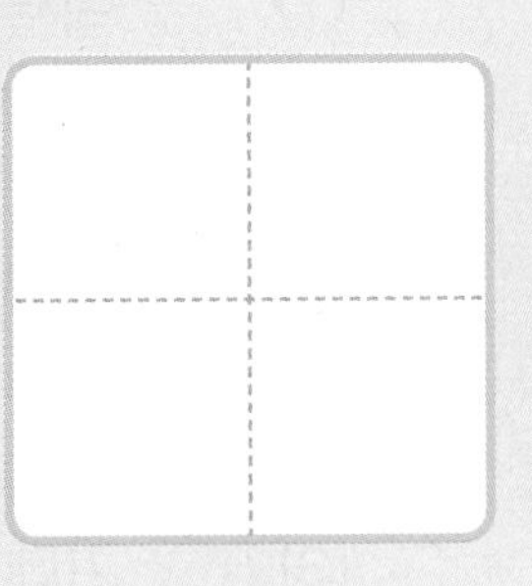

小(소)가 들어간 다음 어휘 중에서 아는 것에 ✓ 표시를 해 보세요.

☐ 소심 ☐ 소포 ☐ 왜소

소심 (작을 小, 마음 心)

뜻 겁이 많아 대담하지 못하고 지나치게 조심스러움.

예 저는 소심해서 남들 앞에 나서는 것을 싫어해요.

소포 (작을 小, 쌀 包)

뜻 우편으로 보내는, 포장된 작은 짐.

예 할아버지께서 소포로 새 옷을 보내 주셨어요.

왜소 (키 작을 矮, 작을 小)

뜻 몸집이 작음.

예 저는 아기 때 몸집이 왜소했지만, 이제는 덩치가 커졌어요.

1 다음 한자의 알맞은 음과 뜻을 선으로 이으세요.

(1) 	① 소	㉮ 작다
(2) 小	② 대	㉯ 크다

2 다음 낱말의 알맞은 뜻을 찾아 선으로 이으세요.

(1) 대륙	① 엄청나게 큼.
(2) 소심	② 바다로 둘러싸인 크고 넓은 땅.
(3) 거대	③ 겁이 많아 대담하지 못하고 지나치게 조심스러움.

3 빈칸에 들어갈 낱말을 보기 에서 찾아 쓰세요.

보기 대문 소포 왜소

(1) ☐☐을 열고 들어가니 넓은 정원이 보였어요.
↳ 큰 문.

(2) 마르고 ☐☐한 고양이가 길에서 떨고 있었어요.
↳ 몸집이 작음.

(3) ☐☐를 보낼 때는 받는 사람의 주소를 적어야 해요.
↳ 우편으로 보내는, 포장된 작은 짐.

무슨 낱말일까요?

4 다음 빈칸에 '대(大)'와 '소(小)' 가운데에서 알맞은 글자를 쓰세요.

정답과 해설 6쪽

큰 도시 ↔ 작은 도시

(1) [ ] 도 시 에는 많은 사람과 빌딩, 차가 있어요.

(2) [ ] 도 시 에는 사람들이 적게 살아요.

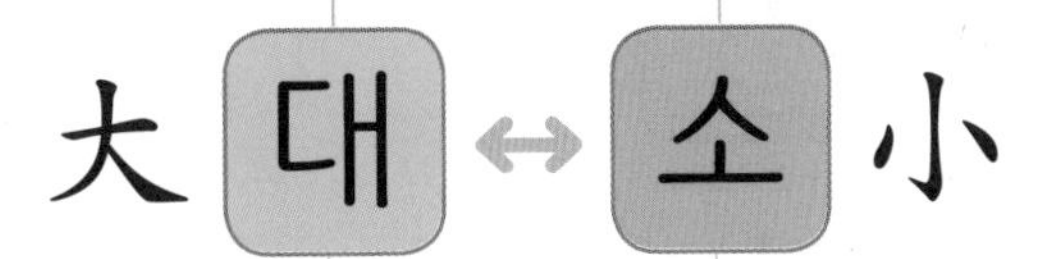

(3) 돋보기는 작은 것을 확 [ ] 해서 보는 물건이에요.

모양 등을 더 크게 함.

(4) 지도는 땅과 바다의 크기를 축 [ ] 해서 나타낸 그림이에요.

모양 등을 줄여서 작게 함.

↔

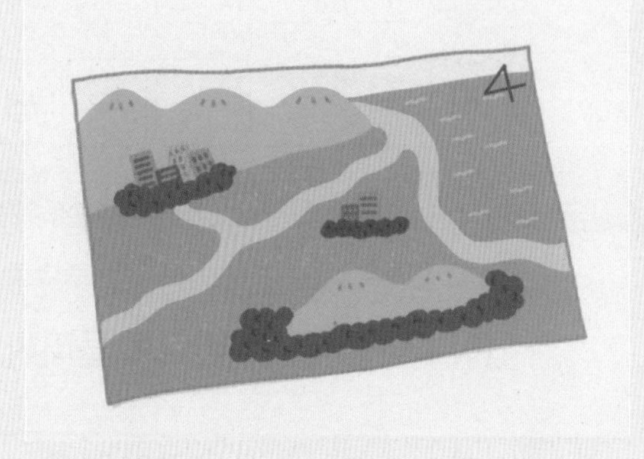

QR코드를 찍어 낱말 게임을 해 보세요.

정답과 해설 6쪽

2주차 | 복습

다음 뜻에 알맞은 낱말을 퍼즐판에서 찾고 빈칸에 쓰세요.

	침		대	륙
감	착	내		
히	하	기		어
	다	왜	소	기
오	염	시	키	다

(1) 내 ☐ : 걸어 놓은 것을 이긴 사람이 갖기로 약속을 하고 승부를 겨룸.

(2) 감 ☐ : 말이나 행동이 주제 넘게.

(3) ☐ 기 ☐ : 규칙이나 약속 등을 지키지 않다.

(4) 침 ☐ ☐ ☐ : 쉽게 흥분하지 않고 행동이 조심스럽고 차분하다.

(5) ☐ 염 ☐ ☐ ☐ : 더러운 상태가 되게 하다.

(6) 대 ☐ : 바다로 둘러싸인 크고 넓은 땅.

(7) ☐ 소 : 몸집이 작음.

알고 있는 어휘는
글에서 어떻게 쓰였는지 확인하고,
모르는 어휘는 글을 읽으며
재미있게 익혀 보아요!

뜻을 알고 있는 어휘에 ✔ 표 해 보세요.

	배울 내용	배울 어휘	공부한 날
Day 11	속담 가는 말이 고와야 오는 말이 곱다	□ 다짜고짜 □ 다정하다 □ 큼지막하다 □ 버럭 □ 수군거리다	월 일
Day 12	관용어 손이 빠르다	□ 솜씨 □ 짜다 □ 뉘우치다 □ 애타다 □ 의논하다	월 일
Day 13	한자 성어 칠전팔기(七顚八起)	□ 도전 □ 방향 □ 조절하다 □ 좌절하다	월 일
Day 14	교과 어휘 가족 사이의 예절	□ 별명 □ 예절 □ 바르다 □ 화목하다	월 일
Day 15	한자 어휘 국토(國土)	□ 국가 □ 국사 □ 전국 □ 토지 □ 토종 □ 황토	월 일

Day 11

속담

가는 말이 고와야 오는 말이 곱다

아는 어휘에 ✔ 표시를 해 보고, 어휘의 뜻을 생각하며 글을 읽어 보세요.

□ 다짜고짜 □ 다정하다 □ 큼지막하다 □ 버럭 □ 수군거리다

공부한 날

월 일

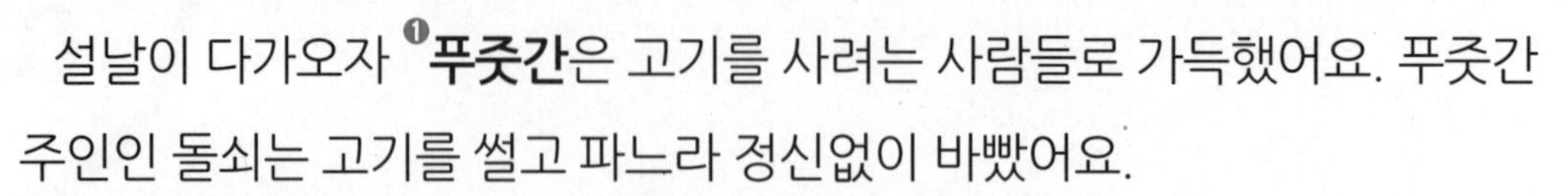

설날이 다가오자 [1]**푸줏간**은 고기를 사려는 사람들로 가득했어요. 푸줏간 주인인 돌쇠는 고기를 썰고 파느라 정신없이 바빴어요.

"이놈, 돌쇠야! 이 고기는 한 [2]**근**에 얼마냐?"

김 부자가 푸줏간으로 들어서며 [3]**다짜고짜** 반말로 물었어요.

"이놈, 돌쇠야! 이 고기는 신선하지 않구나. 이건 왜 이리 비싸냐!"

돌쇠는 김 부자의 말에 화가 났지만 꾹 참았어요.

"저것으로 한 근 다오. 맛없으면 다시 가져올 거야."

돌쇠는 고기를 썰어 김 부자에게 던지듯 주었어요.

그때 최 부자가 [4]**다정한** 목소리로 말했어요.

"이 서방, 이 고기가 맛있어 보이네. 이것으로 한 근 주면 고맙겠네."

돌쇠는 활짝 웃으며 최 부자가 고른 고기를 [5]**큼지막하게** 썰어 주었어요.

"야, 이놈아. 같은 한 근인데 고기 크기가 왜 이렇게 다르냐?"

김 부자가 [6]**버럭** 화를 냈어요. 그때 돌쇠는 콧방귀를 뀌며 대답했어요.

"이것은 이 서방이 준 한 근이고, 그것은 돌쇠 놈이 준 한 근이오."

이 모습을 본 사람들이 [7]**수군거리며** 말했어요.

"저것 좀 봐. '[8]**가는 말이 고와야 오는 말이 곱다**'더니 말과 행동이 미우니 고기 크기도 작군."

김 부자는 부끄러워하며 서둘러 푸줏간을 떠났어요.

❶ **푸줏간**: (옛날에) 쇠고기나 돼지고기 등의 고기를 팔던 가게.

❷ **근**: 무게의 단위(고기는 600그램, 채소는 400그램).

❸ **다짜고짜**: 일의 앞뒤 사정을 알아보거나 이야기하지 않고 바로.

❹ **다정한**: 마음이 따뜻하고 정이 많은.

❺ **큼지막하게**: 꽤 크게.

❻ **버럭**: 몹시 불쾌하여 갑자기 소리를 지르거나 화를 내는 모양.

❼ **수군거리며**: 남이 알아듣지 못하게 낮은 목소리로 자꾸 이야기하며.

❽ **가는 말이 고와야 오는 말이 곱다**: 자기가 다른 사람에게 말이나 행동을 좋게 해야 다른 사람도 자기에게 좋게 한다는 말.

내용 이해하기

3주차
Day 11
정답과 해설 7쪽

1 **사람들이 돌쇠의 푸줏간에 간 까닭을 고르세요. (　　　)**

① 고기를 사려고
② 싸움 구경을 하려고
③ 돌쇠의 이야기를 들으려고

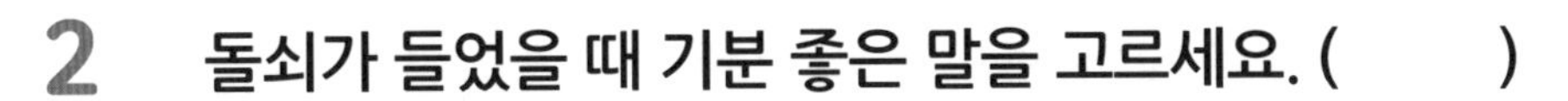

2 **돌쇠가 들었을 때 기분 좋은 말을 고르세요. (　　　)**

①

이놈, 돌쇠야! 이 고기는 신선하지 않구나.

②
이 서방, 이 고기가 맛있어 보이네.

3 **빈칸에 들어갈 말을 글에서 찾아 쓰세요.**

돌쇠는 자신을 낮추어 부른 김 부자보다 자신을 높여 부른 최 부자에게 고기를 더 크게 썰어 주었어요. 이 모습을 본 사람들은 '□□ □□ □□□ 오는 말이 곱다'라고 수군거렸어요.

어휘 익히기

4 **다음 뜻에 알맞은 낱말을 보기 에서 찾아 빈칸에 쓰세요.**

보기	버럭	다짜고짜

(1) [　　　　　] : 몹시 불쾌하여 갑자기 소리를 지르거나 화를 내는 모양.

(2) [　　　　　] : 일의 앞뒤 사정을 알아보거나 이야기하지 않고 바로.

5 **다음 낱말에 어울리는 그림을 찾아 선으로 이으세요.**

(1) 수군거리다　　(2) 큼지막하다　　(3) 다정하다

①　②　③

6 **다음 상황에 알맞은 속담을 고르세요. (　　　)**

① 돌다리도 두들겨 보고 건너라　　② 가는 말이 고와야 오는 말이 곱다

정답과 해설 7쪽

7 **다음 문장에 들어갈 바른 낱말에 ○표 하세요.**

(1) 냉장고에 음식이 {가득했어요 / 가드캤어요}.

(2) 형이 나에게 {다짜고짜 / 닷짜곳짜} 화를 냈어요.

8 **밑줄 친 낱말을 바르게 고쳐 쓰세요.**

(1) 화가 나서 콧방기를 뀌었어요.

→ □□□

(2) 이 연필은 값이 빗싸요.

→ □□□

9 **들려주는 말을 잘 듣고 띄어쓰기에 유의하여 받아쓰세요.**

(1) □□□□∨□□□□.□□□□

(2) □□∨□□□∨□∨□□□□□.

(3) □□□∨□□□□∨□□□□□.

Day 12

관용어

손이 빠르다

아는 어휘에 ✔ 표시를 해 보고, 어휘의 뜻을 생각하며 글을 읽어 보세요.

☐ 솜씨 ☐ 짜다 ☐ 뉘우치다 ☐ 애타다 ☐ 의논하다

공부한 날

월 일

옛날 하늘나라에 '견우'라는 [1]**목동**과 '직녀'라는 하늘나라 공주가 있었어요. 견우는 소를 잘 몰았고, 직녀는 베 [2]**짜는** [3]**솜씨**가 좋았어요. 직녀는 [4]**손이 빨라서** 고운 옷감을 후딱 짰지요.

하늘나라 임금님은 두 사람을 [5]**혼인**시켰어요. 견우와 직녀는 매일 함께 놀러 다니느라 일을 하지 않았어요. 그래서 임금님은 두 사람에게 화가 났어요.

"일을 하지 않고 놀러만 다니다니 용서하지 않겠다! 이제부터 견우는 동쪽 하늘에서 살고, 직녀는 서쪽 하늘에서 살아라."

견우와 직녀는 잘못을 [6]**뉘우쳤지만** 임금님의 화는 풀리지 않았어요.

견우와 직녀는 칠월 칠석날에만 은하수를 사이에 두고 만날 수 있었어요. 하지만 두 사람은 은하수를 건널 수 없어 눈물을 흘리며 [7]**애타게** 서로의 이름을 불렀지요.

견우와 직녀가 하늘에서 흘린 눈물 때문에 땅에는 큰비가 내렸어요. 동물들은 견우와 직녀가 만날 수 있는 방법을 [8]**의논했고**, 까치와 까마귀가 줄지어 은하수로 날아가 날개를 활짝 펴고 다리를 놓았어요.

"견우님! 직녀님! 저희를 밟고 은하수를 건너세요!"

견우와 직녀는 다리 중간에서 만나 서로 얼싸안고 기쁨의 눈물을 흘렸어요. 땅에는 이슬비가 내렸지요.

그 뒤부터 칠석날에도 큰비가 내리지 않았답니다.

1. **목동**: 소, 양, 염소 등의 가축에게 풀을 뜯기면서 돌보는 아이.
2. **짜는**: 실이나 끈 등을 엮어서 옷감 등을 만드는.
3. **솜씨**: 손으로 무엇을 만들거나 다루는 재주.
4. **손이 빨라서**: 일 처리가 빨라서.
5. **혼인**: 남자와 여자가 부부가 되는 일.
6. **뉘우쳤지만**: 스스로 자신의 잘못을 깨닫고 반성했지만.
7. **애타게**: 몹시 답답하거나 안타까워 속이 타게.
8. **의논했고**: 어떤 일에 대해 서로 의견을 나눴고.

내용 이해하기

1 **하늘나라 임금님이 견우와 직녀에게 내린 벌이 아닌 것을 고르세요. (　　　)**

① 견우는 동쪽 하늘에서 살고 직녀는 서쪽 하늘에서 사는 것
② 일 년에 단 한 번 칠월 칠석날에만 서로를 만나는 것
③ 까치와 까마귀들이 만든 다리에서 만나게 한 것

정답과 해설 7쪽

2 **다음 문장에서 알 수 있는 직녀의 특징을 글에서 찾아 쓰세요.**

직녀는 고운 옷감을 후딱 짰지요.

→ 직녀는 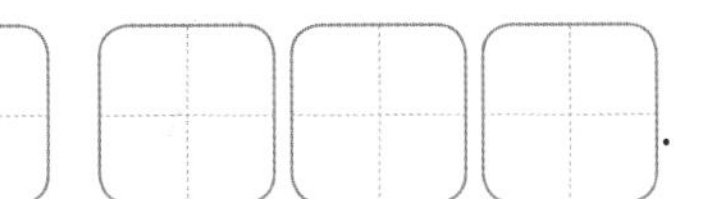.

3 **빈칸에 들어갈 말을 글에서 찾아 쓰세요.**

견우와 직녀는 은하수를 건널 수 없어 울면서 (1) ☐☐☐ 서로의 이름을 불렀어요. 두 사람이 흘린 눈물로 땅에는 큰비가 내렸어요. 동물들은 견우와 직녀가 만날 수 있는 방법을 (2) 했어요.

어휘 익히기

4 **다음 낱말의 알맞은 뜻을 찾아 선으로 이으세요.**

(1) 짜다 •   • ① 몹시 답답하거나 안타까워 속이 타다.

(2) 애타다 •   • ② 실이나 끈 등을 엮어서 옷감 등을 만들다.

(3) 뉘우치다 •   • ③ 스스로 자신의 잘못을 깨닫고 반성 하다.

5 **다음 빈칸에 들어갈 말을 쓰세요.**

우리 엄마는 음식 ☐☐가 좋으시다.   ㅅ ㅆ

6 **다음 글을 읽고, 빈칸에 들어갈 말에 ○표 하세요.**

6월 30일 **날씨** 맑음

오늘은 부모님 결혼기념일이다. 누나와 나는 부모님께 종이 꽃다발을 만들어 드렸다. 내가 종이꽃 한 송이를 만드는 동안 누나는 종이꽃 다섯 송이를 만들었다. 와! 누나는 정말 (　　　　).

귀가 얇다 ( )   입이 가볍다 ( )   손이 빠르다 ( )

7 **다음 문장에 들어갈 바른 낱말에 ○표 하세요.**

(1) 그 {옷감 / 옷깜}은 손에 닿는 느낌이 부드러워요.

(2) 하루가 {후닥 / 후딱} 지났어요.

정답과 해설 7쪽

8 **밑줄 친 낱말을 바르게 고쳐 쓰세요.**

(1) 언니와 아빠 생신 선물에 대해 으논했어요.

→ 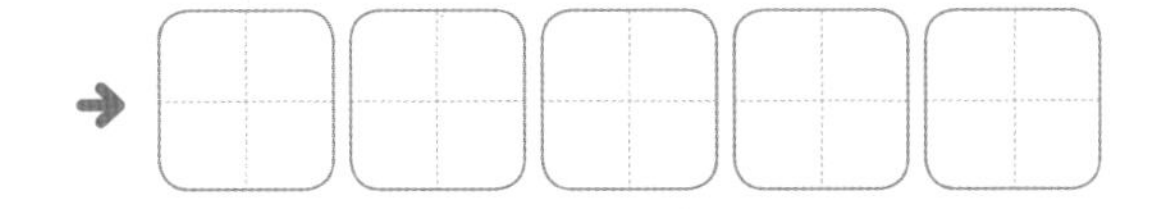

(2) 내 잘못을 니우쳤어요.

→ 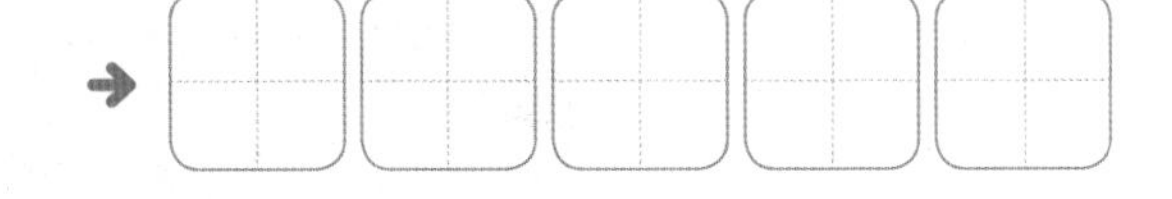

9 **들려주는 말을 잘 듣고 띄어쓰기에 유의하여 받아쓰세요.**

(1) □□∨□□□∨□□□□□.□□

(2) □□□∨□□∨□□□□□□□

(3) □□□∨□□□□∨□□□□□.

QR코드를 찍어 낱말 게임을 해 보세요.

맞은 개수 ______ /9개

Day 13

한자 성어

칠전팔기(七일곱 칠 顚엎드러질 전 八여덟 팔 起일어날 기)

아는 어휘에 ✔ 표시를 해 보고, 어휘의 뜻을 생각하며 글을 읽어 보세요.

□ 도전 □ 방향 □ 조절하다 □ 좌절하다

공부한 날

월 일

라이트 형제는 어릴 때부터 기계를 잘 다루었어요. 형제는 헬리콥터 장난감을 가지고 놀다가 하늘을 나는 것에 궁금증을 가졌어요.

어느 날, 라이트 형제는 신문에서 [1]**글라이더** 실험을 하다가 사고를 당한 독일 발명가의 이야기를 읽었어요. 형제는 그의 [2]**도전** 정신에 [3]**자극**을 받았고, 어릴 때부터 꿈꾸던 하늘을 나는 기계를 만들기로 했어요.

라이트 형제는 새가 어떻게 날고 [4]**방향**을 바꾸는지를 관찰했어요. 그리고 사람이 새처럼 날개를 [5]**조절할** 수 있게 해야겠다고 생각했어요. 형제는 그들만의 글라이더를 만들어 실험하고 또 실험했어요.

라이트 형제는 비행기를 만들려면 [6]**프로펠러** 날개와 가벼운 [7]**동력기**, 방향 조절 장치가 필요하다고 생각했어요. 그들은 수많은 실험 끝에 날개와 동력기를 직접 만들었어요.

드디어 라이트 형제는 프로펠러와 동력기가 달린 플라이어 호를 완성했어요. 하지만 첫 비행은 실패하고 말았지요. 형제는 [8]**좌절하지** 않고 잘못된 점을 찾아 수없이 고치면서 [9]**칠전팔기**의 정신으로 도전했어요.

▲ 미국 국립항공우주박물관에 전시된 플라이어 호

마침내 라이트 형제는 [10]**최초**로 동력 비행기를 만들었어요. 라이트 형제의 끊임없는 노력으로 사람이 하늘을 나는 비행기의 시대가 열렸어요.

1. **글라이더**: 엔진 없이 바람만을 이용하여 나는, 날개가 달린 비행기.
2. **도전**: 가치 있는 것이나 목표한 것을 얻기 위해 어려움에 맞섬.
3. **자극**: 감각이나 마음에 반응을 일으키게 함.
4. **방향**: 어떤 지점이나 방위를 향하는 쪽.
5. **조절할**: 균형에 맞게 바로잡거나 상황에 알맞게 맞춤.
6. **프로펠러**: 비행기나 배에서 엔진이 도는 힘을 앞으로 나아가는 힘으로 바꾸는 장치.
7. **동력기**: 물, 바람 등의 에너지를 기계 에너지로 바꾸어 주는 기계.
8. **좌절하지**: 마음이나 기운이 꺾이지.
9. **칠전팔기**: 일곱 번 넘어지고 여덟 번 일어난다는 뜻으로, 여러 번 실패해도 포기하지 않고 노력함.
10. **최초**: 맨 처음.

내용 이해하기

1 글의 내용으로 맞는 것을 고르세요. (   )

①

②

2 라이트 형제가 하늘을 나는 기계를 만들기 위해 관찰한 것을 고르세요. (   )

① 

② 

③ 

3 빈칸에 들어갈 말을 글에서 찾아 쓰세요.

> 라이트 형제는 첫 번째 비행에 실패했지만 좌절하지 않았어요. 형제는 잘못된 점을 찾아 수없이 고치면서 실패해도 다시 도전하는 [ ][ ][ ][ ]의 정신으로 최초의 비행기를 만드는 데 성공했어요.

정답과 해설 8쪽

어휘 익히기

4 다음 뜻에 알맞은 낱말을 보기 에서 찾아 빈칸에 쓰세요.

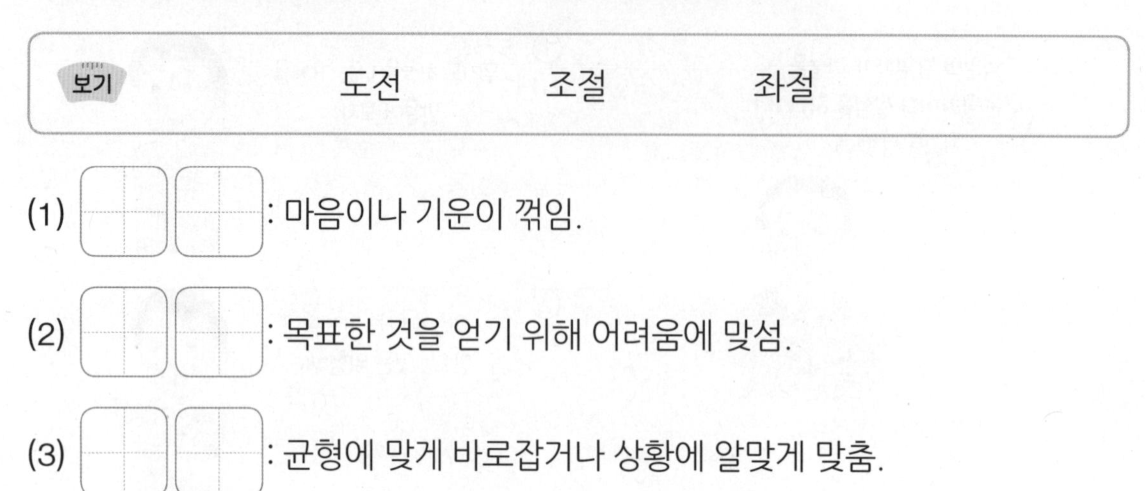

보기 도전 조절 좌절

(1) [ ][ ] : 마음이나 기운이 꺾임.

(2) [ ][ ] : 목표한 것을 얻기 위해 어려움에 맞섬.

(3) [ ][ ] : 균형에 맞게 바로잡거나 상황에 알맞게 맞춤.

5 대화의 빈칸에 들어갈 낱말을 쓰세요.

6 다음 한자 성어와 관계있는 내용을 말한 친구의 이름을 빈칸에 쓰세요.

칠전팔기(七顚八起)

나리: 어려운 일이 닥쳐도 포기하지 않고 노력할 거야.
송이: 일곱 번 정도 도전했으면 포기하고 다른 것에 도전해야 해.

[ ]

맞춤법 · 받아쓰기

7 띄어쓰기가 바른 것에 ○표 하세요.

(1) { 첫비행 / 첫 비행 }은 실패하고 말았지요.

(2) 서아는 { 어릴때부터 / 어릴 때부터 } 비행기를 좋아했어요.

정답과 해설 8쪽

8 밑줄 친 낱말을 바르게 고쳐 쓰세요.

(1) 나는 어젯밤에 동화책을 <u>일겄어요</u>.

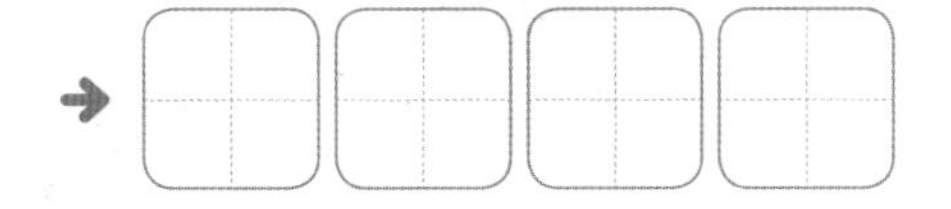

(2) 훌륭한 사람이 되려면 <u>끈임없는</u> 노력이 필요해요.

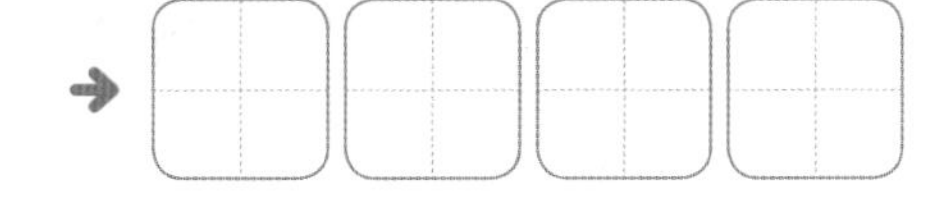

9 들려주는 말을 잘 듣고 띄어쓰기에 유의하여 받아쓰세요.

(1)
(2)
(3)

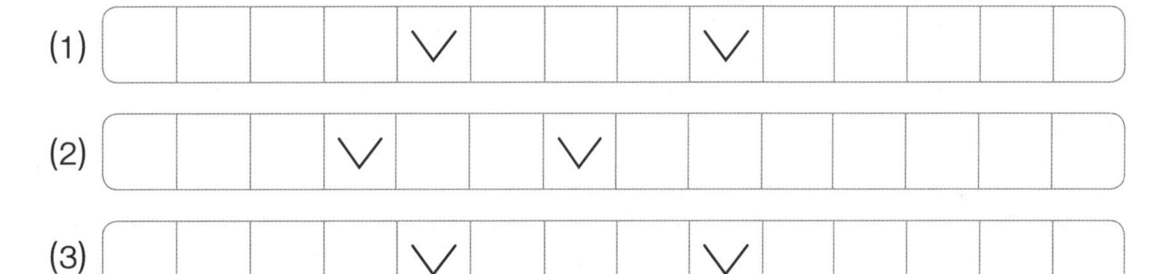

QR코드를 찍어 낱말 게임을 해 보세요.

맞은 개수 ______ /9개

Day 14

교과 어휘

가족 사이의 예절

아는 어휘에 ✔ 표시를 해 보고, 어휘의 뜻을 생각하며 글을 읽어 보세요.

□ 별명 □ 예절 □ 바르다 □ 화목하다

공부한 날

월 일

❶ **별명**: 본래의 이름과는 다르게 대상의 특징을 나타내도록 지어 부르는 이름.

❷ **예절**: 사람이 사회 생활에서 지켜야 하는 바르고 공손한 태도나 행동.

❸ **진지**: '밥'의 높임말.

❹ **예의**: 공손한 말투나 바른 행동과 같이 사람이 사회 생활을 하면서 마땅히 지켜야 할 것.

❺ **바르게**: 말이나 행동이 옳고 그름에 어긋남이 없게.

❻ **화목해진답니다.**: 서로 뜻이 맞고 정다워진답니다.

제 ❶**별명**은 예절맨이에요. 항상 ❷**예절**을 잘 지킨다고 칭찬 받는답니다. 예전에는 예절이 뭔지 몰랐어요. 어느 날 옆집 누나가 어머니께 "다녀왔습니다."라고 인사하는 모습을 보았어요. 엄마는 누나를 칭찬하시며 제게 **가족 사이의 예절**을 지켜야 한다고 말씀하셨어요. 그때부터 부모님과 친척 어른들께 인사를 잘했더니 모두들 저를 예절맨이라고 불러 주셨어요.

제가 칭찬받는 법을 가르쳐 드릴게요.

아침에 일어나면 부모님께 "안녕히 주무셨어요?"라고 인사해요. 그러면 저는 물론 부모님도 기분이 좋아져요.

아침 식사를 시작할 때에는 "잘 먹겠습니다."라고 인사하고, 식사가 끝나면 "잘 먹었습니다."라고 인사해요. 그러면 엄마가 매우 행복해하세요. 밥을 다 먹었어도 부모님께서 ❸**진지**를 다 드실 때까지 이런저런 이야기를 나누면 더 좋아요.

학교에 갈 때에는 "학교에 다녀오겠습니다."라고 인사하고, 집으로 돌아와서는 "다녀왔습니다."라고 인사해요.

잠 자기 전에도 부모님께 "안녕히 주무세요."라고 인사해요. 그러면 부모님께서도 "너도 잘 자."라고 말씀하시면서 저를 안아 주세요.

가장 중요한 인사말은 바로 "감사합니다."라는 말이에요. 부모님께 이 말씀을 드리면 부모님께서는 활짝 웃으시며 제게 "사랑한다."고 답해 주세요.

❹**예의** ❺**바르게** 인사하면 인사를 받는 사람뿐만 아니라 제 기분도 좋아져요. 특히 가족 사이에 인사 예절을 잘 지키면 가족이 ❻**화목해진답니다**.

내용 이해하기

정답과 해설 8쪽

1 **글쓴이의 별명에 ○표 하세요.**

인사맨 ☐　　예절맨 ☐　　상냥맨 ☐

2 **글쓴이가 각 상황에 하는 인사말을 찾아 선으로 이으세요.**

(1) 아침에 일어났을 때 •　　• ① 잘 먹겠습니다.

(2) 식사를 시작할 때 •　　• ② 다녀왔습니다.

(3) 집으로 돌아왔을 때 •　　• ③ 안녕히 주무셨어요?

3 **빈칸에 들어갈 말을 글에서 찾아 쓰세요.**

(1) ☐☐ 사이에 인사 (2) ☐☐을 잘 지키면 가족이 화목해져요.

어휘 익히기

4 **다음 낱말의 알맞은 뜻을 찾아 선으로 이으세요.**

(1) 별명 • 　　　• ① 서로 뜻이 맞고 정다움.

(2) 예절 • 　　　• ② 특징을 나타내도록 지어 부르는 이름.

(3) 화목 • 　　　• ③ 사회 생활에서 지켜야 하는 바르고 공손한 태도나 행동.

5 **빈칸에 공통으로 들어갈 말에 ○표 하세요.**

• 어른들께 예의 [　　　] 인사해요.
• 마음가짐을 [　　　] 해야 해요.

[　] 바르게
[　] 반갑게

6 **가족 사이의 예절을 잘 지킨 모습에 ○표 하세요.**

[　]

[　]

7 **다음 문장에 들어갈 바른 낱말에 ○표 하세요.**

(1) 할아버지, {밥 / 진지} 드세요.

(2) 어머니, 안녕히 {자세요 / 주무세요}.

정답과 해설 8쪽

8 **밑줄 친 낱말을 바르게 고쳐 쓰세요.**

(1) 모두 기분이 <u>조아져요</u>.

(2) 수지는 부모님 <u>말슴</u>을 잘 들어요.

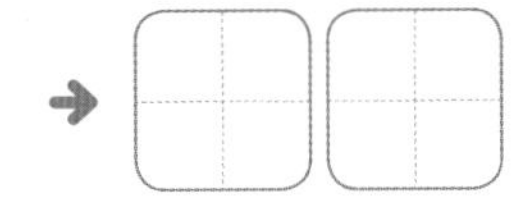

9 **들려주는 말을 잘 듣고 띄어쓰기에 유의하여 받아쓰세요.**

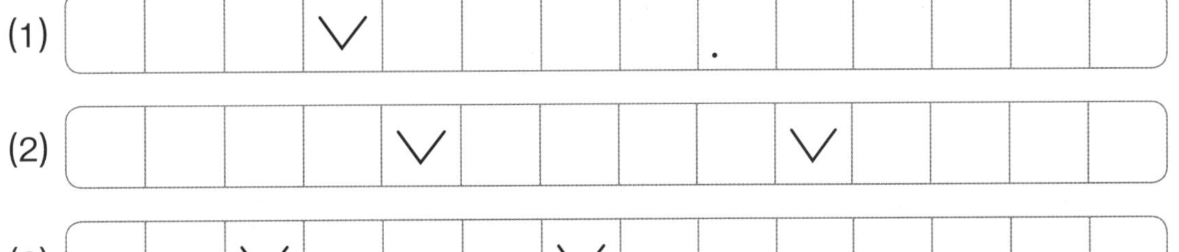

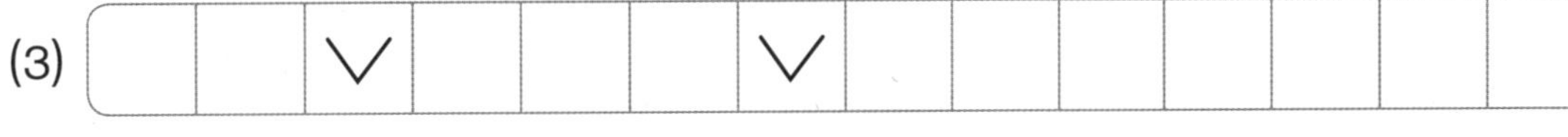

QR코드를 찍어 낱말 게임을 해 보세요.

Day 15

한자 어휘

국토(國土)

● 國(국)은 '나라'를 뜻해요.

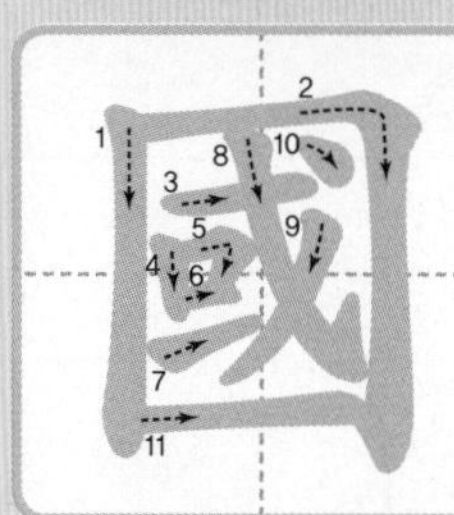

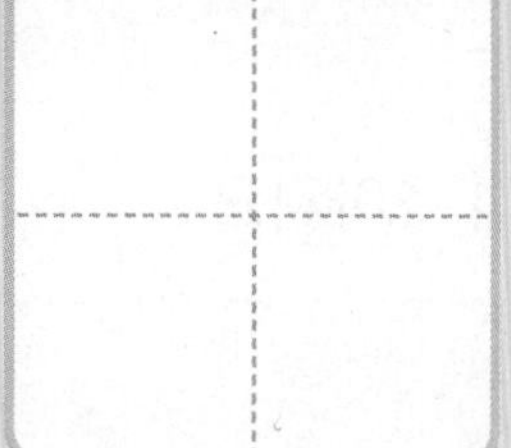

국(國)이 들어간 다음 어휘 중에서 아는 것에 ✔ 표시를 해 보세요.

□ 국가 □ 국사 □ 전국

국가
나라 國 / 집 家

뜻 나라. 일정한 땅과 그곳에 대한 권리를 가진 사람들의 조직.

예 나의 꿈은 국가를 대표하는 야구 선수가 되는 것이에요.

국사
나라 國 / 역사 史

뜻 나라의 역사.

예 만화로 국사를 재미있게 배웠어요.

전국
온전할 全 / 나라 國

뜻 온 나라.

예 내일은 전국에 비가 내릴 거예요.

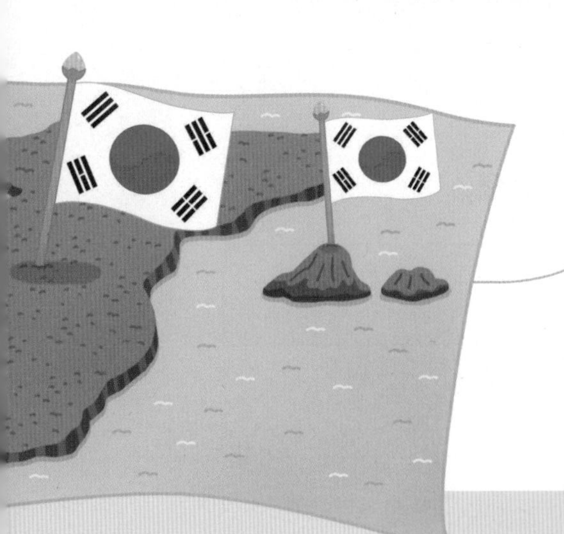

'국토'는 '나라의 땅.'이라는 뜻으로 그 나라에서 다스릴 수 있는 지역을 말해요.

공부한 날 월 일

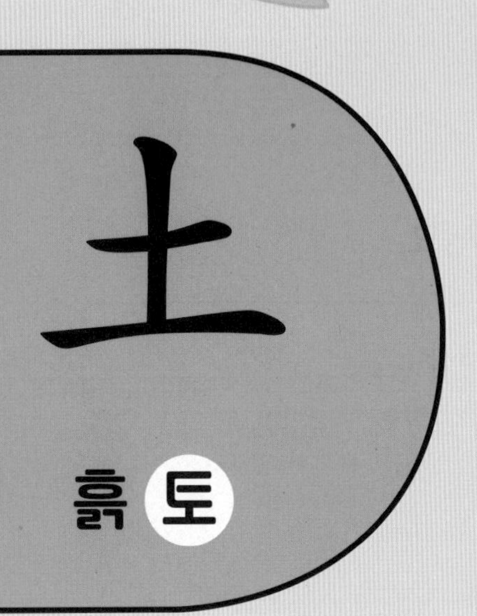

● 土(토)는 '땅', '흙', '장소' 등을 뜻해요.

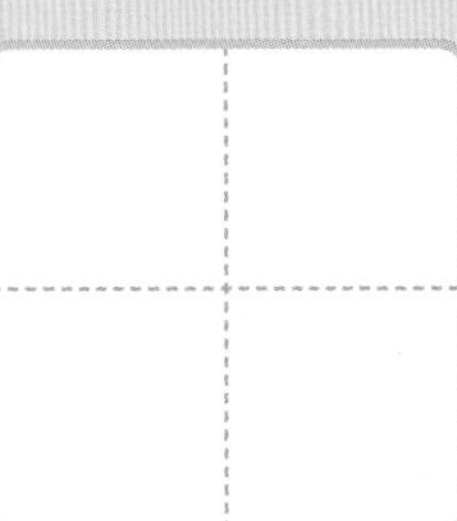

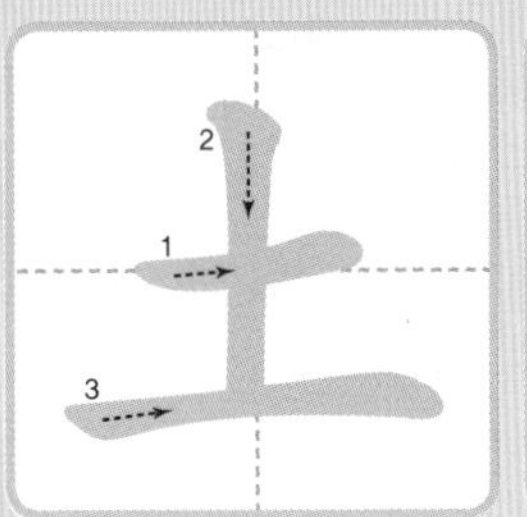

새싹이 흙을 뚫고 솟아난 모양에서 만들어진 글자예요.

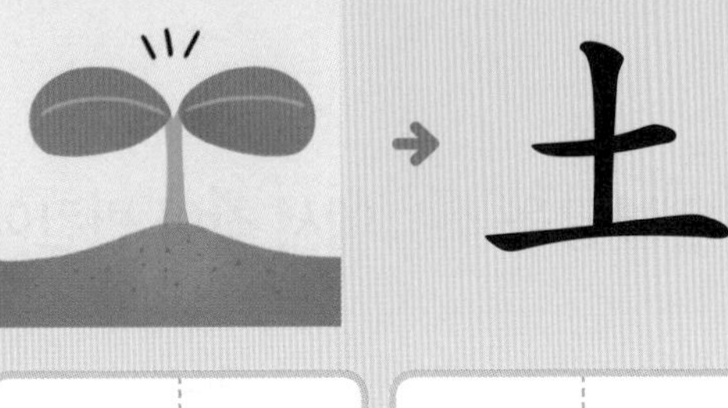

토(土)가 들어간 다음 어휘 중에서 아는 것에 ✓ 표시를 해 보세요.

□ 토지 □ 토종 □ 황토

토지 흙 土 / 땅 地	뜻 사람이 생활하고 활동하는 데에 이용하는 땅. 예 할아버지는 고향에 집을 지으려고 토지를 사셨어요.
토종 흙 土 / 씨 種	뜻 원래부터 그곳에서 나는 동물이나 식물. 예 미국에서 들어온 황소개구리가 우리나라 토종 개구리를 잡아먹어요.
황토 누를 黃 / 흙 土	뜻 누렇고 거무스름한 흙. 예 외할머니 댁은 황토로 지은 집이에요.

1 **다음 뜻과 음을 가진 한자를 보기 에서 골라 번호를 쓰세요.**

보기	① 國	② 學	③ 土	④ 小

(1) 나라 국 – ☐　　(2) 흙 토 – ☐

2 **다음 뜻에 알맞은 낱말을 보기 에서 찾아 빈칸에 쓰세요.**

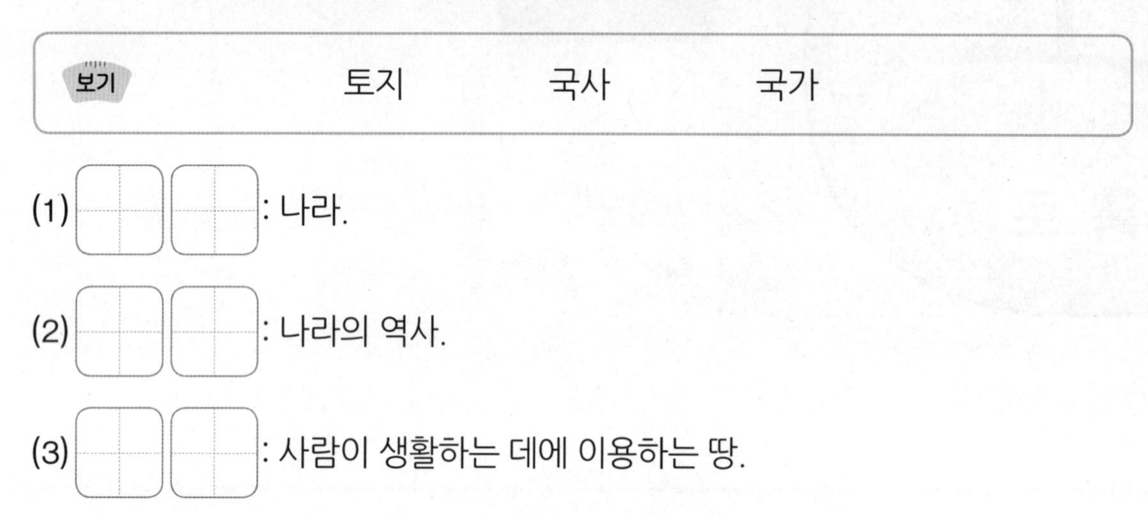

보기	토지	국사	국가

(1) ☐☐ : 나라.

(2) ☐☐ : 나라의 역사.

(3) ☐☐ : 사람이 생활하는 데에 이용하는 땅.

3 **빈칸에 들어갈 글자가 나머지와 <u>다른</u> 것을 고르세요. (　　)**

① 할머니가 직접 기른 ☐ 종 감자로 부침개를 만드셨어요.

↳ 원래부터 그곳에서 나는 동물이나 식물.

② 노란색과 갈색 물감을 섞었더니 황 ☐ 와 같은 색이 되었어요.

↳ 누렇고 거무스름한 흙.

③ 우리 학교 축구 팀이 도 대표로 전 ☐ 대회에 나가게 되었어요.

↳ 온나라.

무슨 낱말일까요?

[4~5] 다음 그림을 보고, 물음에 답하세요.

4 그림 속 빈칸에 '국(國)'과 '토(土)' 가운데에서 알맞은 글자를 쓰세요.

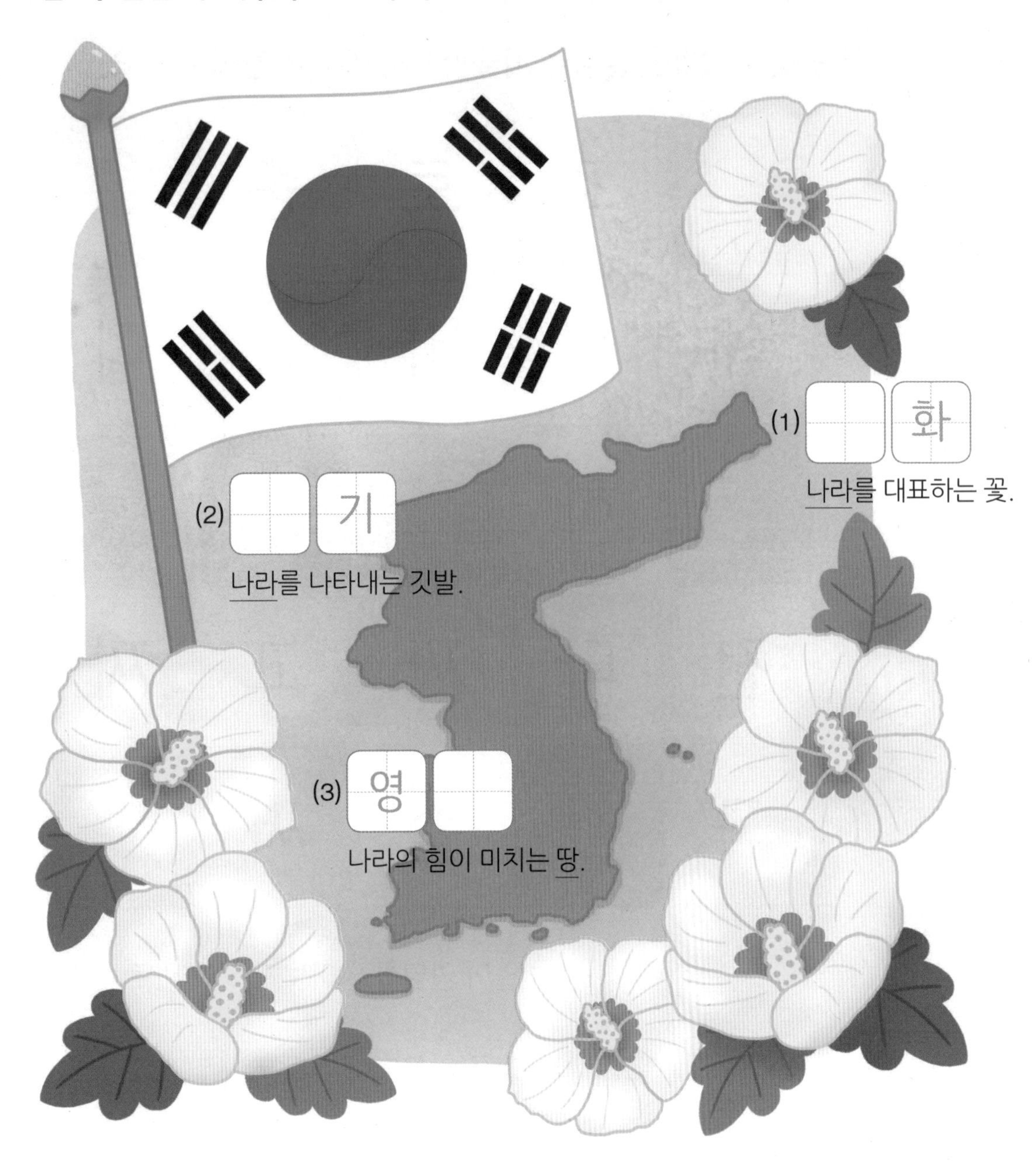

5 빈칸에 들어갈 낱말을 쓰세요.

(1) 우리나라의 □□는 무궁화입니다.

(2) 태극기는 우리나라의 □□입니다.

(3) 우리나라의 □□는 한반도와 여러 섬들입니다.

QR코드를 찍어 낱말 게임을 해 보세요.

맞은 개수 ______ /5개

3주차 Day 15

정답과 해설 9쪽

스스로 붙임딱지

3주차 | 복습

정답과 해설 9쪽

다음 뜻에 알맞은 낱말을 퍼즐판에서 찾고 빈칸에 쓰세요.

	조	토	종	
예	절	바	르	다
	하			
전	다	짜	고	짜
국		솜	씨	

(1) 다 □ □ □ : 일이 앞뒤를 알아보지 않고 바로.

(2) □ 씨 : 손으로 무언가를 만들거나 다루는 재주.

(3) □ 절 □ □ : 균형에 맞게 바로잡거나 상황에 알맞게 맞추다.

(4) 예 □ : 사회 생활에서 지켜야 하는 바르고 공손한 태도나 행동.

(5) □ 르 □ : 말이나 행동이 옳고 그름에 어긋남이 없다.

(6) □ 국 : 온 나라.

(7) 토 □ : 원래 그곳에서 나는 동물이나 식물.

알고 있는 어휘는
글에서 어떻게 쓰였는지 확인하고,
모르는 어휘는 글을 읽으며
재미있게 익혀 보아요!

뜻을 알고 있는 어휘에 ✔ 표 해 보세요.

	배울 내용	배울 어휘	공부한 날
Day 16	속담 길고 짧은 것은 대어 보아야 안다	☐ 말다툼 ☐ 자신만만하다 ☐ 씩씩거리다 ☐ 실력 ☐ 되약볕	월 일
Day 17	관용어 배가 아프다	☐ 영감 ☐ 땔감 ☐ 컴컴하다 ☐ 대가	월 일
Day 18	한자 성어 유구무언(有口無言)	☐ 빈둥빈둥 ☐ 심술 ☐ 엄동설한 ☐ 빙긋이	월 일
Day 19	교과 어휘 여름 날씨	☐ 숙소 ☐ 예약하다 ☐ 일기 예보 ☐ 장마 ☐ 태풍	월 일
Day 20	한자 어휘 농사(農事)	☐ 농부 ☐ 농촌 ☐ 농산물 ☐ 매사 ☐ 사정 ☐ 사례	월 일

Day 16

속담

길고 짧은 것은 대어 보아야 안다

아는 어휘에 ✔ 표시를 해 보고, 어휘의 뜻을 생각하며 글을 읽어 보세요.

☐ 말다툼 ☐ 자신만만하다 ☐ 씩씩거리다 ☐ 실력 ☐ 뙤약볕

공부한 날

월 일

❶ **말다툼**: 옳고 그름을 가리기 위해 말로 다투는 일.

❷ **자신만만한**: 어떤 일을 충분히 해낼 수 있다는 굳은 믿음이 있는.

❸ **길고 짧은 것은 대어 보아야 알지**: 능력의 차이 등은 겨루어 봐야 확실히 드러나지.

❹ **시합**: 서로 재주를 부려 승부를 겨루는 일.

❺ **씩씩거리며**: 숨을 매우 가쁘고 거칠게 쉬는 소리를 계속 내며.

❻ **실력**: 실제로 갖추고 있는 힘이나 능력.

❼ **뙤약볕**: 여름에 강하게 내리쬐는 몹시 뜨거운 햇볕.

해님과 바람이 ❶**말다툼**을 하고 있어요.

“내가 이 세상에서 가장 힘이 세.”

“네가 힘이 세다고? 하지만 나를 이길 수는 없어.”

❷**자신만만한** 바람의 말에 해님은 기분이 나빴어요.

“❸**길고 짧은 것은 대어 보아야 알지**. 그럼 누가 더 센지 ❹**시합**을 하자.”

그때 어떤 남자가 다가오고 있었어요.

“좋아. 저기 오는 남자의 옷을 먼저 벗기면 이기는 거야.”

바람이 먼저 차갑고 센 바람을 후욱 불었어요.

남자는 팔로 몸을 감싸 안았어요. 이 모습을 본 바람은 ❺**씩씩거리며** 가장 강하고 찬 바람을 일으켰어요.

“바람이 더 차가워졌군. 감기에 걸리겠어.”

남자는 손에 들고 있던 외투까지 껴입었어요.

“하하하. 이제 내 ❻**실력**을 보여 주지.”

해님은 따뜻한 햇살을 살살 보냈어요.

“날씨 한번 변덕스럽군.”

남자는 외투를 벗어 손에 들었어요. 신이 난 해님은 뜨겁고 강한 햇살을 보냈어요.

“갑자기 ❼**뙤약볕**이 내리쬐네. 아, 더워.”

남자는 옷을 모두 벗고 강물 속으로 뛰어들었어요.

“어때? 이제 누가 더 힘이 센지 알겠지?”

해님이 뽐내며 말했어요.

내용 이해하기

1 해님과 바람이 무엇을 하고 있는지 알맞은 말을 고르세요. (　　　)

① 칭찬　　　② 인사　　　③ 말다툼

4주차 Day 16 정답과 해설 10쪽

2 남자가 다음과 같이 말한 것은 누구 때문인지 쓰세요.

(1) "감기에 걸리겠어." — [　　]

(2) "뙤약볕이 내리쬐네." — [　　]

3 빈칸에 들어갈 말을 글에서 찾아 쓰세요.

해님과 바람은 자신이 더 세다며 다투었어요. 해님은 "[　][　] [　][　] 것은 대어 보아야 알지."라고 했어요. 둘은 남자의 옷을 먼저 벗기면 이기는 시합을 했어요. 바람이 찬 바람을 일으키자 남자는 외투를 입었어요. 그러나 해님이 강한 햇살을 보내자 남자는 옷을 벗고 강물 속으로 뛰어들었어요.

어휘 익히기

4 **낱말의 뜻이 알맞은 것에는 ○표, 알맞지 않은 것에는 ×표 하세요.**

(1) 실력 — 실제로 갖추고 있는 힘이나 능력. ( )

(2) 말다툼 — 서로 재주를 부려 승부를 겨루는 일. ( )

(3) 뙤약볕 — 여름날에 강하게 내리쬐는 몹시 뜨거운 햇볕. ( )

5 **다음 낱말과 어울리는 그림을 선으로 이으세요.**

(1) 씩씩거리다 •
↳ 숨을 매우 거칠게 쉬는 소리를 계속 내다.

• ①

(2) 자신만만하다 •
↳ 어떤 일을 해낼 수 있다는 굳은 믿음이 있다.

• ②

6 **다음 만화를 읽고, 빈칸에 들어갈 말에 ○표 하세요.**

( ) 가는 말이 고와야 오는 말이 곱다 ( ) 길고 짧은 것은 대어 보아야 안다

7 **다음 문장에 들어갈 바른 낱말에 ○표 하세요.**

(1) 키는 작지만 힘이 {샌 / 센} 내 동생.

(2) 바람이 높은 파도를 {이르켰어요 / 일으켰어요}.

정답과 해설 10쪽

8 **밑줄 친 낱말을 바르게 고쳐 쓰세요.**

(1) 창문으로 따뜻한 해살이 비쳐요.

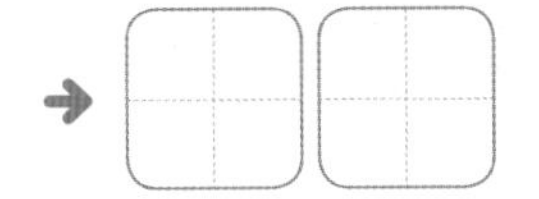

(2) 집에 들어오면 모자를 버서 두렴.

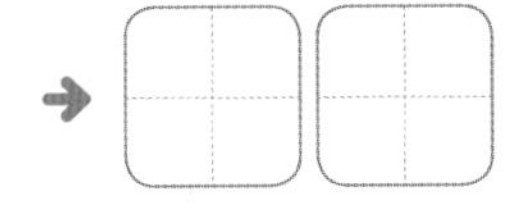

9 **들려주는 말을 잘 듣고 띄어쓰기에 유의하여 받아쓰세요.**

(1) | | ∨ | | | ∨ | | | ∨ | | | . | | |

(2) | | ∨ | | | | ∨ | | ∨ | | | . | | |

(3) | | | | ∨ | | | | ∨ | | | | | . |

QR코드를 찍어 낱말 게임을 해 보세요.

맞은 개수 ______ /9개

Day 17

관용어

배가 아프다

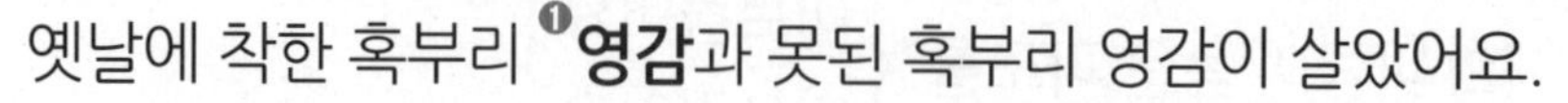

아는 어휘에 ✔ 표시를 해 보고, 어휘의 뜻을 생각하며 글을 읽어 보세요.

□ 영감 □ 땔감 □ 컴컴하다 □ 대가

공부한 날

월 일

❶ **영감**: (높이는 말로) 나이가 많은 남자.

❷ **땔감**: 불을 때는 데 쓰는 재료.

❸ **컴컴하네**: 주변이 보이지 않을 만큼 아주 어둡네.

❹ **떼고**: 붙어 있는 것을 떨어지게 하고.

❺ **대가**: 물건의 값으로 내는 돈.

❻ **배가 아팠어요**: 남이 잘 되는 것이 심술이 나고 속이 상했어요.

❼ **속았다**: 거짓이나 속임수에 넘어갔다.

옛날에 착한 혹부리 [1]**영감**과 못된 혹부리 영감이 살았어요.

어느 날, 착한 혹부리 영감이 [2]**땔감**을 구하러 산에 갔어요.

"땔감을 많이 모았군. 벌써 날이 [3]**컴컴하네**."

혹부리 영감은 주변이 어두워지자 산속 빈집에서 하룻밤을 보내기로 했어요. 혹부리 영감은 무서워서 큰 소리로 노래를 불렀어요. 그때 갑자기 도깨비들이 나타났어요.

"영감, 노래를 매우 잘 부르는군. 노래를 계속 불러 줘."

도깨비들은 혹부리 영감의 노래에 맞추어 춤을 추었어요.

"노랫소리가 그 혹에서 나는 거지? 그 노래 주머니를 내게 줘."

도깨비들은 혹부리 영감의 혹을 [4]**떼고** 그 [5]**대가**로 무엇이든 얻을 수 있는 도깨비 방망이를 주었어요. 착한 혹부리 영감은 도깨비 방망이로 부자가 되었어요.

이 소문을 들은 못된 혹부리 영감은 [6]**배가 아팠어요**. 그래서 못된 혹부리 영감은 도깨비 방망이를 얻으러 산속 빈집으로 갔어요.

날이 어두워지고 혹부리 영감이 노래를 부르자, 도깨비들이 나타났어요.

"이 혹은 최고의 노래 주머니입니다. 이 혹을 떼어 가세요."

"네 이놈! 지난번에는 내가 [7]**속았다**. 이 혹을 달았지만 노랫소리가 이상했어."

화가 난 도깨비 대장은 자신의 혹을 떼어 못된 혹부리 영감의 볼에 붙였어요. 혹부리 영감은 양쪽 볼에 붙은 혹을 만지며 말했어요.

"아이고, 혹 떼려다 혹 하나를 더 붙였구나!"

내용 이해하기

1 **착한 혹부리 영감이 산에 간 까닭을 고르세요. (   )**

① 혹을 떼려고 ② 땔감을 구하려고
③ 도깨비 방망이를 얻으려고 ④ 산속 빈집에서 자려고

2 **다음 말에 담겨 있는 도깨비 대장의 마음이 아닌 것을 고르세요. (   )**

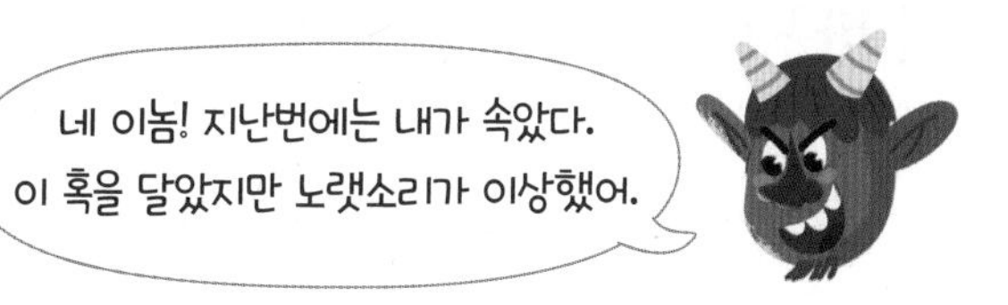

① 못된 혹부리 영감이 걱정되었어요.
② 못된 혹부리 영감에게 화가 났어요.
③ 못된 혹부리 영감에게 벌을 주고 싶었어요.

3 **빈칸에 들어갈 말을 글에서 찾아 쓰세요.**

못된 혹부리 영감은 착한 혹부리 영감이 도깨비 방망이로 부자가 되었다는 소문을 듣고 ☐☐ ☐☐☐☐. 못된 혹부리 영감은 도깨비 방망이를 얻으려고 했지만 오히려 혹만 하나 더 붙이게 되었어요.

4주차 Day 17

정답과 해설 10쪽

어휘 익히기

4 **다음 낱말의 알맞은 뜻을 찾아 선으로 이으세요.**

(1) 영감 • •① 나이가 많은 남자.

(2) 땔감 • •② 물건의 값으로 내는 돈.

(3) 대가 • •③ 불을 때는 데 쓰는 재료.

5 **밑줄 친 부분과 바꾸어 쓸 수 있는 낱말을 고르세요. ( )**

날이 매우 어둡다.

① 떼다 ② 속다 ③ 컴컴하다

6 **다음 만화를 읽고, 빈칸에 공통으로 들어갈 말을 고르세요. ( )**

① 눈이 아파요 ② 귀가 아파요 ③ 배가 아파요

7 **다음 문장에 들어갈 바른 낱말에 ○표 하세요.**

(1) 스티커를 {때어 / 떼어} 책에 붙였어요.

(2) 동생은 나에게 심부름을 한 {대가 /댓가}를 달라고 했어요.

정답과 해설 10쪽

8 **밑줄 친 낱말을 바르게 고쳐 쓰세요.**

(1) 초콜릿을 사면 장난감을 공짜로 <u>어들</u> 수 있어요.

→ 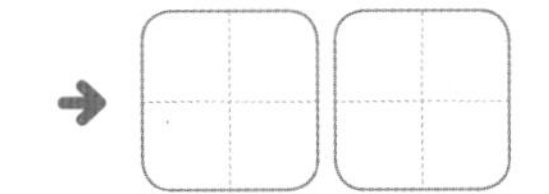

(2) 하영이는 동생 얼굴에 <u>부튼</u> 밥풀을 보고 웃었어요.

→ 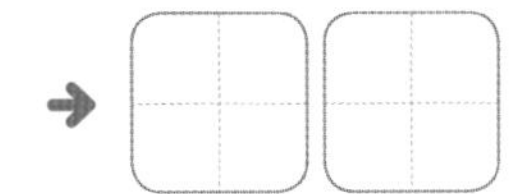

9 **들려주는 말을 잘 듣고 띄어쓰기에 유의하여 받아쓰세요.**

(1) | | | | ∨ | | | | | | | | | | |

(2) | | | | | ∨ | | | | | ∨ | | | | . |

(3) | | | | ∨ | | | ∨ | | | ∨ | | . | | |

QR코드를 찍어 낱말 게임을 해 보세요.

맞은 개수 ______ /9개

Day 18

한자 성어

유구무언(有 있을 유 口 입 구 無 없을 무 言 말씀 언)

아는 어휘에 ✔ 표시를 해 보고, 어휘의 뜻을 생각하며 글을 읽어 보세요.

□ 빈둥빈둥 □ 심술 □ 엄동설한 □ 빙긋이

공부한 날

월 일

❶ **빈둥빈둥**: 아무 일도 하지 않고 자꾸 게으름을 피우며 놀기만 하는 모양.

❷ **심술**: 남을 괴롭히거나 남이 잘못되기를 바라는 마음.

❸ **독사**: 이빨에 독이 있는 뱀.

❹ **엄동설한**: 한겨울의 심한 추위.

❺ **어이없다는**: 너무 뜻밖의 일을 당해서 기가 막히는 듯하다는.

❻ **빙긋이**: 입을 살짝 벌리거나 입가를 조금 올리고 소리 없이 가볍게 웃는 모양.

❼ **붉히며**: 부끄럽거나 화가 나서 얼굴을 붉게 하며.

❽ **유구무언**: '입은 있어도 말은 없다.'는 뜻으로, 변명할 말이 없음을 이르는 말.

어느 고을에 심술쟁이 사또가 살았어요. 그는 ❶**빈둥빈둥** 놀며 일을 시키거나 마음대로 벌을 주는 등 ❷**심술**을 부렸어요.

어느 겨울날, 사또는 이방에게 산딸기가 먹고 싶다고 심술을 부렸어요. 이방은 걱정이 되어 끙끙 앓았어요. 겨울에는 산딸기를 구할 수 없기 때문이에요. 이 모습을 본 이방의 아들이 물었어요.

"아버지, 무슨 걱정이 있으십니까?"

"사또가 이 한겨울에 산딸기를 따 오지 않으면 벌을 내린다고 하는구나."

아들은 잠시 생각에 잠겼다가 말했어요.

"아버지, 걱정하지 마세요. 좋은 생각이 있습니다."

다음 날 아침, 이방의 아들이 사또 앞에 엎드려 엉엉 울었어요.

"아버지가 산딸기를 따러 가셨다가 ❸**독사**에게 물렸습니다. 흑흑."

"이놈아, 이런 ❹**엄동설한**에 독사가 어디 있단 말이냐?"

사또가 ❺**어이없다는** 듯이 이방의 아들을 꾸짖었어요.

이방의 아들은 사또를 보며 ❻**빙긋이** 웃으면서 말했어요.

"사또님 말씀이 옳습니다. 한겨울에는 독사가 없지요. 그럼 한겨울에 산딸기는 어디에 있다는 말입니까?"

사또는 얼굴을 ❼**붉히며** 말했어요.

"에헴, ❽**유구무언**이로구나. 내가 이방에게 큰 잘못을 했어."

이야기 속 상식

뱀은 겨울 내내 땅속에서 잠을 자요. 그러므로 겨울에 산에서 뱀을 만나는 건 드문 일이에요.

내용 이해하기

1 심술쟁이 사또의 모습으로 알맞은 것을 고르세요. (　　　)

①

②

2 사또가 얼굴을 붉힌 까닭을 바르게 말한 친구에게 ○표 하세요.

3 빈칸에 들어갈 말을 글에서 찾아 쓰세요.

> 사또는 이방 아들의 말에 부끄러워 할 말이 없었어요. 그래서 헛기침을 하며 □□□□이라고 했지요. 이 말은 '입이 있어도 변명할 말이 없다.'라는 뜻이에요.

4주차 Day 18

정답과 해설 11쪽

어휘 익히기

4 **다음 낱말의 알맞은 뜻을 찾아 선으로 이으세요.**

(1) 심술 •　　　　• ① 한겨울의 심한 추위.

(2) 빈둥빈둥 •　　　　• ② 게으름을 피우며 놀기만 하는 모양.

(3) 엄동설한 •　　　　• ③ 남을 괴롭히거나 남이 잘못되기를 바라는 마음.

5 **아이의 표정과 어울리는 말에 ○표 하세요.**

- ☐ 엉엉 울다.
  ↳ 목을 놓아 크게 우는 모양.
- ☐ 빙긋이 웃다.
  ↳ 소리 없이 가볍게 웃는 모양.
- ☐ 얼굴을 붉히다.
  ↳ 부끄러워해서 얼굴을 붉게 하다.

6 **다음 대화를 읽고, 밑줄 친 부분을 나타내는 한자 성어를 고르세요. (　　　)**

어머니: 오늘도 공부를 하지 않고 놀았느냐?
아들: 아이고 어머니, 입은 있으나 할 말이 없습니다.

① 동문서답　　② 유구무언　　③ 다다익선

7 **다음 중 띄어쓰기가 알맞은 것에 ○표 하세요.**

(1) 내 동생은 { 심술쟁이 / 심술 쟁이 } 예요.

(2) { 산딸기 / 산 딸기 } 가 빨갛게 익었어요.

정답과 해설 11쪽

8 **밑줄 친 낱말을 바르게 고쳐 쓰세요.**

(1) 네 마음데로 해 봐.

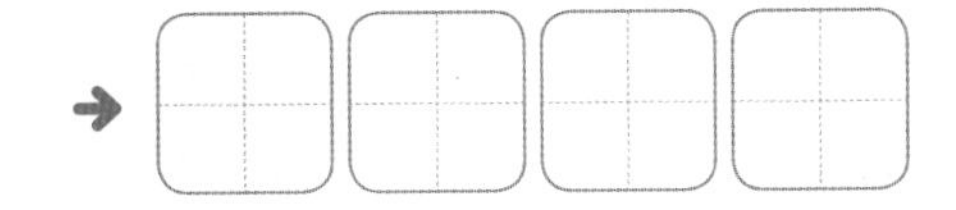

(2) 누나는 어의없다는 듯이 나를 쳐다보았어요.

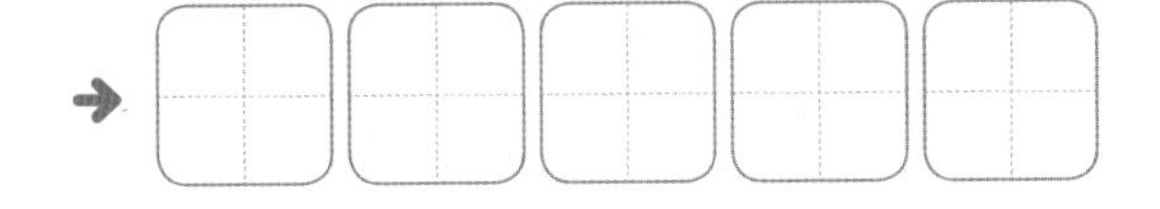

9 **들려주는 말을 잘 듣고 띄어쓰기에 유의하여 받아쓰세요.**

(1)

(2)

(3)

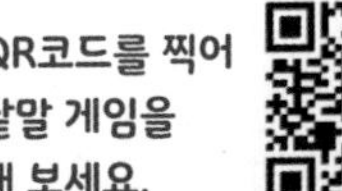

맞은 개수 ______ /9개

Day 19

교과 어휘

여름 날씨

아는 어휘에 ✔ 표시를 해 보고, 어휘의 뜻을 생각하며 글을 읽어 보세요.

☐ 숙소 ☐ 예약하다 ☐ 일기 예보 ☐ 장마 ☐ 태풍

공부한 날

월 일

❶ **휴가**: 일정한 기간 동안 일터를 벗어나서 쉬는 일. 또는 그런 기간.

❷ **숙소**: 집이 아닌 임시로 머물러 묵는 곳.

❸ **예약하고**: 자리, 방, 물건 등을 사용하기 위해 미리 약속하고.

❹ **일기 예보**: 앞으로의 날씨를 미리 짐작하여 신문이나 방송 등을 통해 알리는 일.

❺ **장마**: 여름철에 여러 날 계속해서 비가 오는 현상이나 날씨. 또는 그 비.

❻ **태풍**: 주로 7~9월에 태평양에서 한국, 일본 등으로 불어오는, 거센 폭풍우를 몰고 오는 바람.

❼ **기우제**: 오랫동안 비가 오지 않을 때 비가 내리기를 간절히 바라면서 지내는 제사.

우리 가족은 여름 ❶**휴가**를 바닷가에서 보내기로 했어요. 그래서 바다 근처 ❷**숙소**를 ❸**예약하고**, 수영복과 멋진 돌고래 모양 튜브도 샀어요.

그런데 우리 가족은 저녁 뉴스에서 ❹**일기 예보**를 보고 실망했어요. 아빠는 8월 초쯤이면 ❺**장마**가 끝날 거라고 하셨는데, 휴가를 떠나는 내일도 모레도 비가 온대요. 갑자기 ❻**태풍**이 와서 그렇대요.

"어떡하지? 다행히 휴가 장소가 태풍이 지나가는 길은 아니지만, 바람이 불고 비가 온다는데."

아빠는 걱정스러운 표정으로 말씀하셨어요.

"아빠, 비 맞고 노는 것도 재미있어요."

동생이 신나서 이야기했어요.

"우리는 조금 불편하겠지만 벼농사를 지으시는 부모님을 생각하면 이 정도는 괜찮아요. 여름에 비가 많이 와야 농사짓기도 좋죠. 옛날에 비가 안 올 때에는 ❼**기우제**를 지내면서 비 오기를 기다렸잖아요."

엄마가 웃으며 말씀하셨어요.

"태풍이 무섭기는 하지만, 바닷물을 깨끗하게 한대요."

나도 책에서 읽은 내용을 이야기했어요.

우리나라 **여름 날씨**는 비가 많이 오고, 태풍이 불기도 해요. 뙤약볕이 내리쬐어 무덥기도 하고요. 이런 날씨 모두가 우리 생활에 필요하다니, 나도 휴가 때 비 오는 것 정도는 참아야겠어요.

내용 이해하기

1 **다음 그림에서 글쓴이의 여름 휴가 때 필요하지 <u>않은</u> 것에 ○표 하세요.**

정답과 해설 11쪽

2 **글쓴이의 엄마가 말씀하신 내용으로 알맞은 것을 고르세요. (　　　)**

① 비 맞고 노는 것은 재미있다.
② 태풍이 바닷물을 깨끗하게 한다.
③ 여름에 비가 많이 와야 농사짓기 좋다.
④ 뙤약볕이 내리쬐는 것보다는 비가 오는 것이 낫다.

3 **빈칸에 들어갈 말을 글에서 찾아 쓰세요.**

우리나라의 □□ □□는 비가 많이오고 뙤약볕이 내리쬐어 무덥기도 합니다.

어휘 익히기

4 다음 뜻에 알맞은 낱말을 보기 에서 찾아 빈칸에 쓰세요.

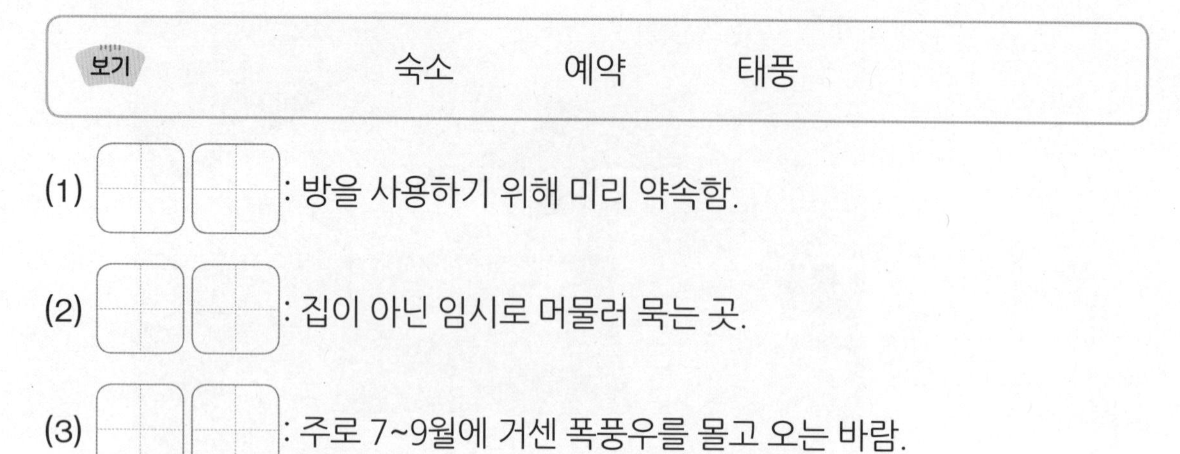

보기 숙소 예약 태풍

(1) ☐☐ : 방을 사용하기 위해 미리 약속함.

(2) ☐☐ : 집이 아닌 임시로 머물러 묵는 곳.

(3) ☐☐ : 주로 7~9월에 거센 폭풍우를 몰고 오는 바람.

5 다음 그림과 관계있는 말을 빈칸에 쓰세요.

6 다음 빈칸에 들어갈 말을 쓰세요.

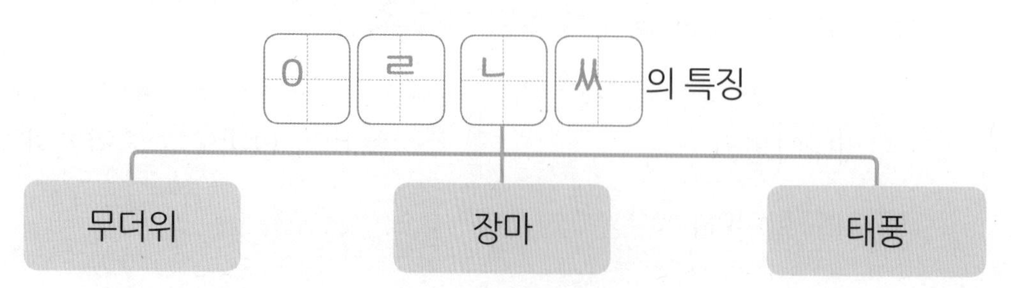

7 다음 문장에 들어갈 바른 낱말에 ○표 하세요.

(1) {내일 / 네일} 날씨는 맑겠습니다.

(2) {모래 / 모레}는 방학하는 날입니다.

정답과 해설 11쪽

8 밑줄 친 낱말을 바르게 고쳐 쓰세요.

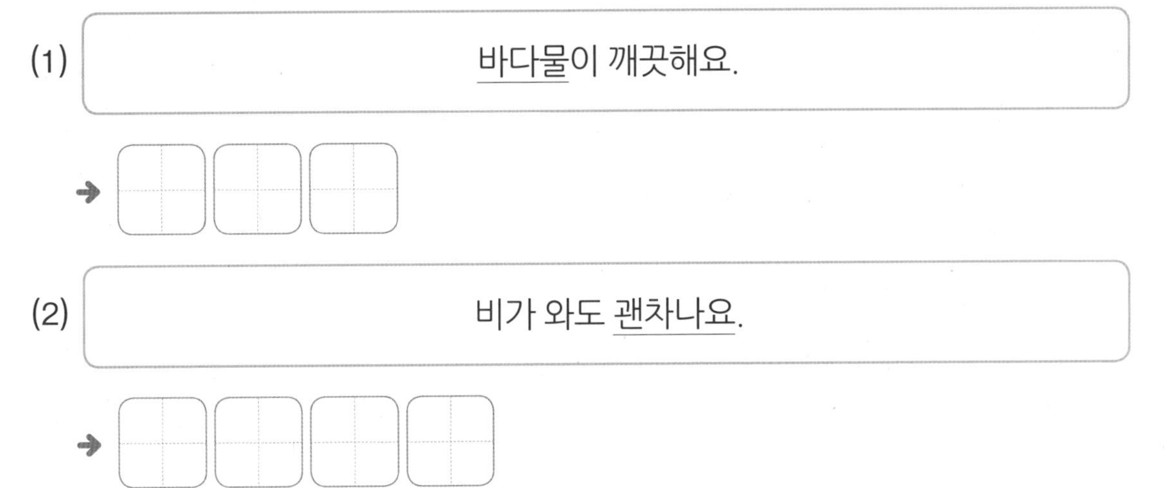

(1) <u>바다물</u>이 깨끗해요.

→ □□□

(2) 비가 와도 <u>괜차나요</u>.

→ □□□□

9 들려주는 말을 잘 듣고 띄어쓰기에 유의하여 받아쓰세요.

(1) □□□∨□□∨□□□□□.□□

(2) □□□□□∨□□.□□□□□□

(3) □∨□□□∨□□□□□□.□

QR코드를 찍어 낱말 게임을 해 보세요.

맞은 개수 ______ /9개

스스로 붙임딱지

Day 20

한자 어휘

농사(農事)

- 農(농)은 '농사'를 뜻해요.

→ 農

호미를 들고 밭에서 일하는 모습에서 만들어진 글자예요.

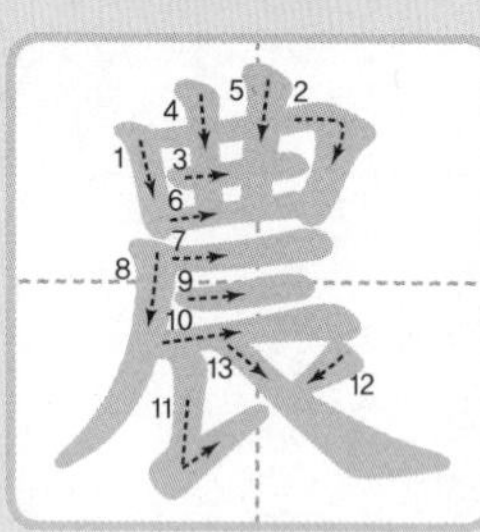

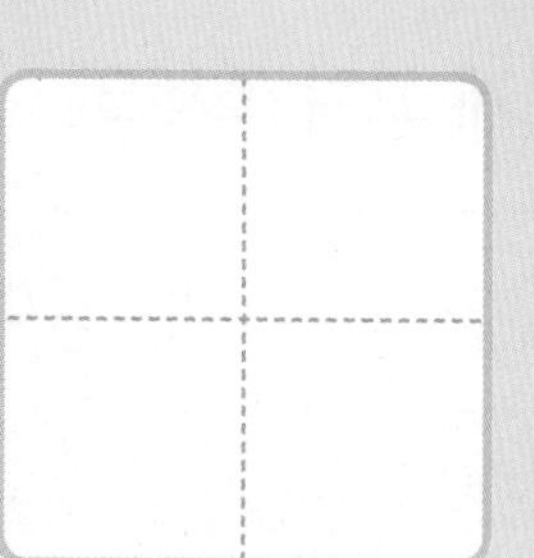

農

농사 농

農(농)이 들어간 다음 어휘 중에서 아는 것에 ✓ 표시를 해 보세요.

- [ ] 농부
- [ ] 농촌
- [ ] 농산물

농 부
농사 農 · 남편 夫

뜻 농사짓는 일을 직업으로 하는 사람.
예 농부 아저씨가 밭에 씨를 뿌리고 있어요.

농 촌
농사 農 · 마을 村

뜻 농사짓는 사람들이 주로 모여 사는 마을.
예 농촌에는 논과 밭이 많아요.

농 산 물
농사 農 · 낳을 産 · 물건 物

뜻 쌀, 채소, 과일 등 농사를 지어 얻은 물건.
예 이 가게에서는 우리 농산물만 팔아요.

공부한 날 월 일

事

일 사

● 事(사)는 '일', '직업' 등을 뜻해요.

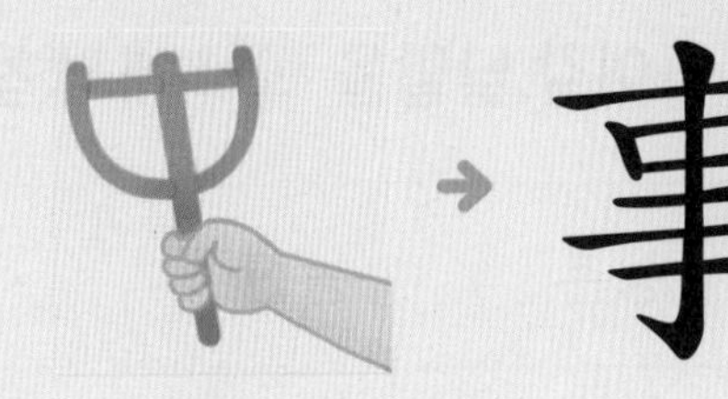

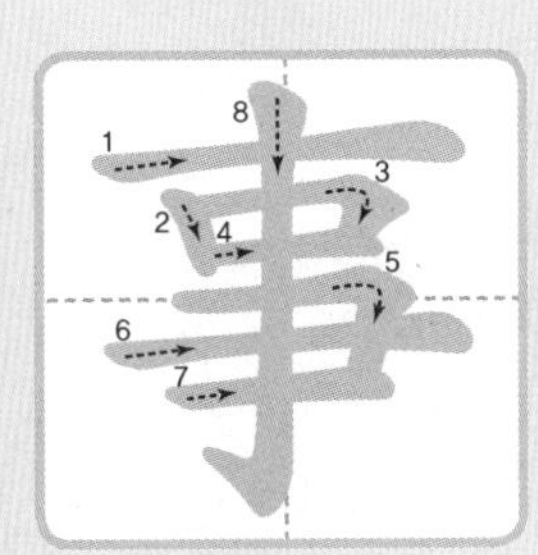
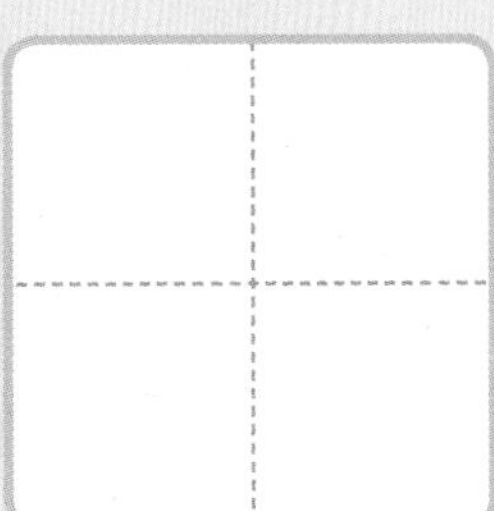
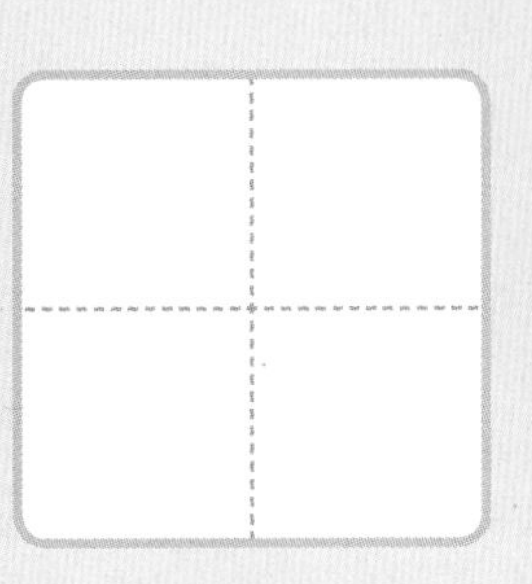

4주차 Day 20

事(사)가 들어간 다음 어휘 중에서 아는 것에 ✓ 표시를 해 보세요.

☐ 매사 ☐ 사정 ☐ 사례

매사
매양, 늘 每 | 일 事

뜻 하나하나의 모든 일.
예 엄마는 매사에 말과 행동을 조심하라고 말씀하셨어요.

사정
일 事 | 뜻 情

뜻 일의 형편이나 이유.
예 저는 사정을 말씀드리고 다음주 용돈을 미리 받았어요.

사례
일 事 | 예, 보기 例

뜻 어떤 일이 전에 실제로 일어난 예.
예 태풍으로 물난리를 겪는 사례를 뉴스에서 보았어요.

1 다음 한자에 맞는 음과 뜻을 선으로 이으세요.

(1) 農 •   •① 사 •   •㉮ 농사

(2) 事 •   •② 농 •   •㉯ 일

2 그림을 보고, 빈칸에 들어갈 낱말을 보기 에서 찾아 쓰세요.

보기   농촌   농산물   농부

3 빈칸에 들어갈 낱말을 보기 에서 찾아 쓰세요.

보기   매사   사례   사정

(1) 우리 아빠는 ☐☐에 계획을 세우고 일을 시작해요.
↳ 하나하나의 모든 일.

(2) 준비물을 가져오지 못한 친구의 ☐☐을 들으니 마음이 아팠어요.
↳ 일의 형편이나 이유.

(3) 엄마는 여행할 때 주의할 점에 대해 ☐☐를 들어 설명해 주셨어요.
↳ 어떤 일이전에 실제로 일어난 예.

무슨 낱말일까요?

4 다음 빈칸에 '농(農)'과 '사(事)' 가운데에서 알맞은 글자를 쓰세요.

농사에 필요한 것들을 갖추고 농사를 짓는 장소.

(1) [ ] 장 에 가서 딸기를 땄어요.

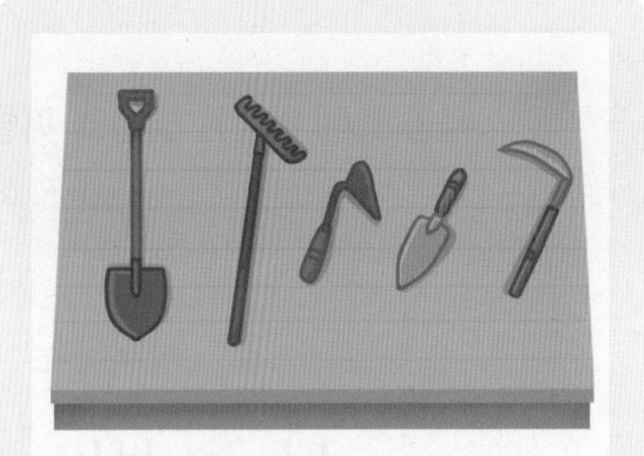

농사를 짓는 데 쓰는 도구.

(2) 농업 박물관에서 다양한 [ ] 기 구 를 보았어요.

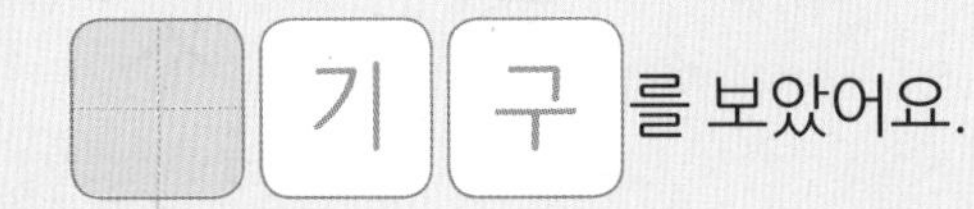

農 농 사 事

(3) 건물에 [ ] 고 가 났어요.

예상하지 못하게 일어난 좋지 않은 일.

(4) 신문 기 [ ] 를 읽었어요.

신문이나 잡지 등에서 어떤 사실(일)을 알리는 글.

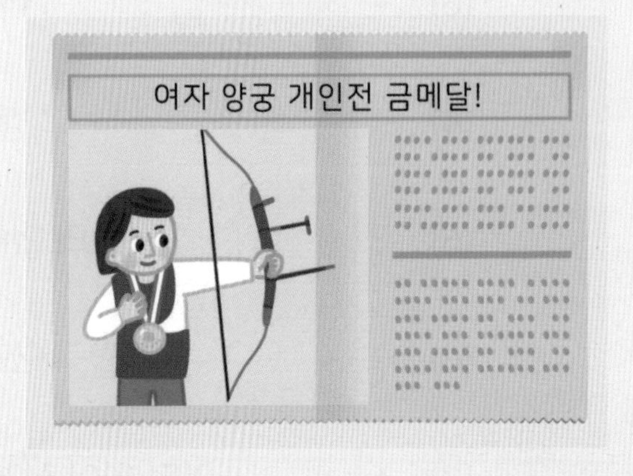

4주차 Day 20

정답과 해설 12쪽

QR코드를 찍어 낱말 게임을 해 보세요.

맞은 개수 ______ /4개

스스로 붙임딱지

4주차 | 복습

정답과 해설 12쪽

다음 뜻에 알맞은 낱말을 퍼즐판에서 찾고 빈칸에 쓰세요.

		사	예	
실	빙	례	약	농
력	긋		하	산
어	이	없	다	물
	컴	컴	하	다

(1) □ 력 : 실제로 갖추고 있는 힘이나 능력.

(2) 컴 □ □ □ : 주변이 보이지 않을 만큼 아주 어둡다.

(3) □ □ 없 □ : 너무 뜻밖의 일을 당해서 기가 막히는 듯 하다.

(4) □ 약 □ □ : 방, 물건 등을 사용하기 위해 미리 약속하다.

(5) 빙 □ □ : 소리 없이 가볍게 웃는 모양.

(6) 농 □ □ : 쌀, 채소, 과일 등 농사를 지어 얻은 물건.

(7) 사 □ : 어떤 일이 실제로 일어난 예.

알고 있는 어휘는
글에서 어떻게 쓰였는지 확인하고,
모르는 어휘는 글을 읽으며
재미있게 익혀 보아요!

5주 어휘 미리보기

뜻을 알고 있는 어휘에 ✓표 해 보세요.

	배울 내용	배울 어휘		공부한 날
Day 21	속담 뿌린 대로 거둔다	☐ 내쫓다 ☐ 탐스럽다	☐ 치료하다 ☐ 타다	월 일
Day 22	관용어 간이 콩알만 해지다	☐ 차리다 ☐ 화려하다	☐ 황당하다 ☐ 어마어마하다	월 일
Day 23	한자 성어 십중팔구(十中八九)	☐ 지배 ☐ 광장	☐ 강제 ☐ 명중시키다	월 일
Day 24	교과 어휘 공공장소의 이용	☐ 흥미롭다 ☐ 어지럽히다	☐ 무찌르다 ☐ 배려하다	월 일
Day 25	한자 어휘 안전(安全)	☐ 안심 ☐ 보안 ☐ 전액	☐ 안부 ☐ 전체 ☐ 전교	월 일

Day 21

속담

뿌린 대로 거둔다

아는 어휘에 ✔ 표시를 해 보고, 어휘의 뜻을 생각하며 글을 읽어 보세요.

☐ 내쫓다 ☐ 치료하다 ☐ 탐스럽다 ☐ 타다

공부한 날

월 일

❶ **내쫓았어요**: 있던 곳에서 억지로 나가게 했어요.

❷ **치료해 주었어요**: 병이나 상처 등을 낫게 해 주었어요.

❸ **탐스럽게**: 가지고 싶은 마음이 들 정도로 보기 좋고 끌리게.

❹ **탔어요**: 두 쪽으로 잘라서 열었어요.

❺ **주렁주렁**: 열매 따위가 많이 달려 있는 모양.

❻ **험상궂은**: 모양이나 상태가 매우 거칠고 사나운.

❼ **뿌린 대로 거두는 거야**: 행동한 대로 결과가 돌아오는 거야.

옛날에 욕심 많은 놀부와 마음 착한 흥부 형제가 살았어요. 부모님이 돌아가시자 놀부는 재산을 독차지하고 흥부를 집에서 ❶**내쫓았어요**.

어느 날 흥부는 한쪽 다리가 부러진 새끼 제비를 ❷**치료해 주었어요**. 새봄이 되자 가을에 떠났던 제비가 박씨를 물고 돌아왔어요. 흥부네 가족은 박씨를 앞마당에 심었어요.

덩굴이 지붕을 덮고 박이 ❸**탐스럽게** 익자, 흥부네 가족은 박을 ❹**탔어요**. 흥부네 가족이 박을 탈 때마다 쌀, 보석, 하인들이 차례로 나왔어요. 흥부네 가족은 부자가 되었어요.

놀부는 이 소식을 듣고 배가 아팠어요. 놀부는 제비를 잡아 일부러 다리를 부러뜨리고 치료했어요. 새봄이 되어 돌아온 제비는 놀부에게도 박씨를 주었어요. 놀부도 앞마당에 박씨를 심었고, 그 씨앗은 무럭무럭 자라서 박이 ❺**주렁주렁** 열렸어요.

놀부 부부는 신나게 박을 탔어요. 첫 번째 박에서 똥물이 쏟아졌어요. 두 번째 박에서는 도둑이 나와 집에 있는 물건을 훔쳐 갔어요. 세 번째 박을 타자 이번에는 ❻**험상궂은** 얼굴을 한 도깨비가 나왔어요. 도깨비가 방망이로 놀부를 때리면서 말했어요.

"나쁜 놀부야, 네가 ❼**뿌린 대로 거두는 거야**."

흥부는 거지가 된 놀부 부부를 자신의 집으로 데려갔어요. 흥부와 놀부 가족은 함께 행복하게 살았답니다.

이야기 속 상식

제비는 우리나라에서 여름을 나는 철새예요. 제비는 가을이 되면 따뜻한 동남아시아로 떠났다가 다음 해 3월 말에 우리나라로 다시 돌아온답니다.

내용 이해하기

1 이야기의 순서대로 ▢ 안에 숫자를 쓰세요.

▢ ▢ ▢ ▢

2 흥부가 탄 박에서 나온 것에는 '흥부', 놀부가 탄 박에서 나온 것에는 '놀부'를 빈칸에 쓰세요.

(1) 쌀 – ▢ (2) 보석 – ▢ (3) 도둑 – ▢

3 빈칸에 들어갈 말을 글에서 찾아 쓰세요.

놀부는 흥부처럼 부자가 되고 싶어서 제비의 다리를 일부러 부러뜨리고 박씨를 얻었어요. 하지만 놀부의 박에서는 금은보화 대신 똥물, 도둑, 도깨비가 나왔어요. 도깨비는 놀부에게 "네가 ▢▢ ▢▢ 거두는 거야."라고 말하며 놀부를 혼냈어요.

어휘 익히기

4 다음 뜻에 알맞은 낱말을 보기 에서 찾아 빈칸에 쓰세요.

보기 타다 내쫓다 치료하다

(1) [ ] : 있던 곳에서 억지로 나가게 하다.

(2) [ ] : 병이나 상처 등을 낫게 하다.

(3) [ ] : 두 쪽으로 갈라서 열다.

5 밑줄 친 낱말이 문장의 내용과 어울리지 <u>않는</u> 것을 고르세요. ( )

① 꽃밭에 장미가 <u>탐스럽게</u> 피어 있다.
② 태풍이 불자 감이 <u>탐스럽게</u> 떨어졌다.
③ 우리 가족은 <u>탐스럽게</u> 익은 수박을 잘라 맛있게 먹었다.

6 다음 상황에 알맞은 속담을 고르세요. ( )

① 뿌린 대로 거둔다
② 백지장도 맞들면 낫다
③ 가는 말이 고와야 오는 말이 곱다
④ 길고 짧은 것은 대어 보아야 안다

정답과 해설 13쪽

7 다음 문장에 들어갈 바른 낱말에 ○표 하세요.

(1) 형과 나는 사이좋은 {형재 / 형제} 예요.

(2) 장난치다가 아끼는 로봇 다리를 {부러뜨리고 / 뿌러뜨리고} 말았어요.

8 밑줄 친 낱말을 바르게 고쳐 쓰세요.

(1) 나는 이불을 덥고 눈을 감았어요.

→ 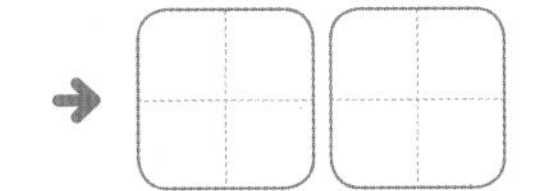

(2) 갑자기 비가 쏘다졌어요.

→ 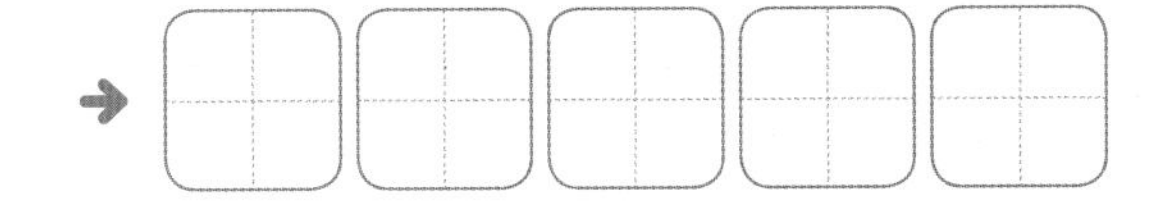

9 들려주는 말을 잘 듣고 띄어쓰기에 유의하여 받아쓰세요.

(1)

(2) 

(3) 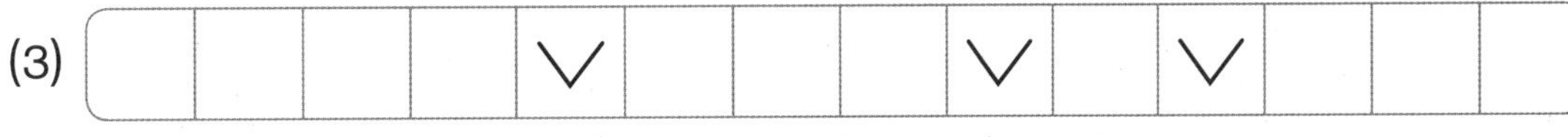

QR코드를 찍어 낱말 게임을 해 보세요.

스스로 붙임딱지

Day 22

관용어

간이 콩알만 해지다

아는 어휘에 ✔ 표시를 해 보고, 어휘의 뜻을 생각하며 글을 읽어 보세요.

☐ 차리다 ☐ 황당하다 ☐ 화려하다 ☐ 어마어마하다

공부한 날

월 일

❶ **간이 콩알만 해졌어요**: 매우 겁이 났어요.

❷ **차려**: 준비한 음식 등을 먹을 수 있게 상 위에 놓아.

❸ **반해**: 사람이나 사물 등에 마음이 홀린 듯이 쏠려.

❹ **황당한**: 말이나 행동 등이 진실하지 않고 터무니없는.

❺ **화려한**: 곱고 아름다우며 환하게 빛나 보기에 좋은.

❻ **어마어마한**: 놀랍도록 몹시 큰.

어느 날 못된 마법사가 알라딘을 찾아왔어요.

"동굴에서 낡은 램프를 찾아다 줘. 무슨 일이 생기면 이 반지가 너를 도와줄 거야."

알라딘은 동굴에서 낡은 램프를 찾았고, 마법사에게 램프를 주기 전에 자기를 먼저 꺼내 달라고 했어요. 마법사는 알라딘이 램프를 주지 않아서 화가 났고, 동굴 입구를 큰 바위로 막아 버렸어요. 알라딘은 반지가 도와줄 거라는 말을 기억해 내고 반지를 문질렀어요.

그러자 갑자기 반지의 거인이 '펑' 소리와 함께 나타났어요. 알라딘은 깜짝 놀라 ❶**간이 콩알만 해졌어요**.

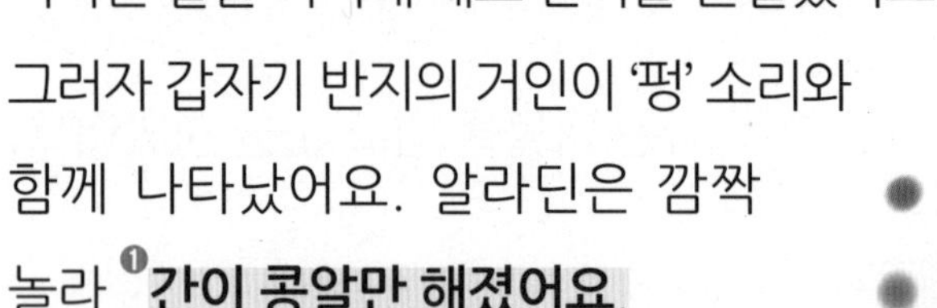

"주인님, 무엇을 도와드릴까요?"

"제, 제가 주인이라고요? 그럼 저를 집에 보내 주세요."

집으로 돌아간 알라딘은 낡은 램프를 깨끗이 닦았어요. 그러자 램프의 거인이 '펑!' 소리와 함께 나타났어요.

"주인님, 무엇을 도와드릴까요?"

"내가 주인이라고? 그럼 맛있는 음식을 가득 ❷**차려** 줘."

램프의 거인은 알라딘의 소원을 들어주었어요.

어느 날 알라딘은 예쁜 공주를 보고 한눈에 ❸**반해** 궁전으로 달려갔어요.

"공주님과 결혼하겠습니다."

알라딘의 ❹**황당한** 말을 듣고 왕은 알라딘이 할 수 없는 일을 떠올렸어요.

"내일까지 세상에서 가장 멋진 궁궐을 지으면 공주와 결혼할 수 있다."

"램프의 거인, 내일까지 세상에서 가장 ❺**화려한** 궁궐을 지어 줘."

다음 날 아침, ❻**어마어마한** 궁궐이 생겼어요.

램프의 거인 덕분에 알라딘은 공주와 결혼하여 행복하게 살았어요.

내용 이해하기

정답과 해설 13쪽

1 알라딘이 램프의 거인에게 말한 소원을 <u>두 개</u> 고르세요. (　　　,　　　)

① 동굴에서 램프 찾아주기　　② 동굴에서 궁궐로 보내 주기
③ 맛있는 음식 가득 차려 주기　　④ 세상에서 가장 화려한 궁궐 짓기

2 빈칸에 들어갈 낱말을 글에서 찾아 쓰세요.

반지의 거인이 '펑' 소리와 함께 나타나자 알라딘은 깜짝 놀라 (1) □이 (2) □□만 해졌어요.

3 알라딘이 궁전으로 달려간 까닭을 고르세요. (　　　)

① 공주에게 거인이 나오는 신기한 램프를 자랑하려고
② 왕에게 가장 화려한 궁궐을 지어 달라고 부탁하려고
③ 공주에게 반해서 왕에게 공주와 결혼하게 해 달라고 말하려고

어휘 익히기

4 **낱말의 뜻이 알맞지 않은 것을 고르세요. (　　　)**

① **어마어마하다**: 놀랍도록 몹시 크다.
② **황당하다**: 물건이 오래되어 허름하다.
③ **화려하다**: 곱고 아름다우며 환하게 빛나 보기에 좋다.

5 **보기 를 보고, 빈칸에 들어갈 낱말을 쓰세요.**

6 **다음 상황에 알맞은 말을 고르세요. (　　　)**

① 간이 크다

② 간이 붓다

③ 간이 콩알만 해지다

맞춤법 · 받아쓰기

정답과 해설 13쪽

7 **다음 문장에 들어갈 바른 낱말에 ○표 하세요.**

(1) 할아버지의 {날근 / 낡은} 시계를 발견했어요.

(2) 큰 개가 짖어 {깜작 / 깜짝} 놀랐어요.

8 **밑줄 친 낱말을 바르게 고쳐 쓰세요.**

> 내일은 소풍을 가는 날입니다. 엄마가 준비해 주신 (1) <u>마싯는</u> 간식을 가방에 챙겨 두고, 몸을 깨끗이 (2) <u>딱고</u> 일찍 잠자리에 들었습니다.

(1) 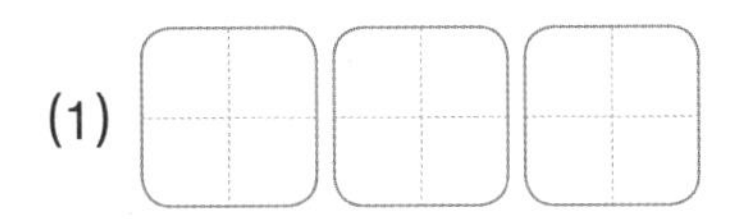

(2) 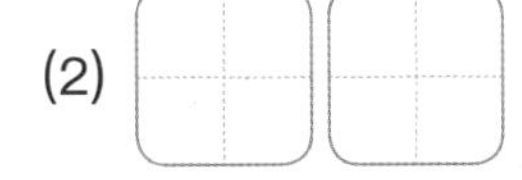

9 **들려주는 말을 잘 듣고 띄어쓰기에 유의하여 받아쓰세요.**

(1)
(2)
(3)

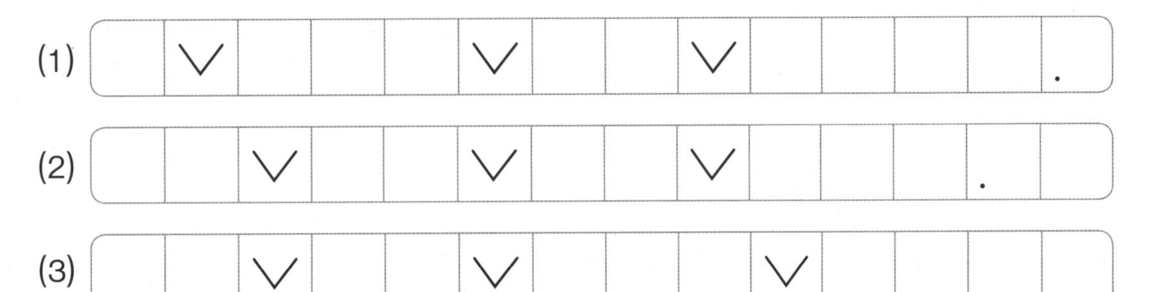

QR코드를 찍어 낱말 게임을 해 보세요.

Day 23

한자 성어

십중팔구(十 열 십 中 가운데 중 八 여덟 팔 九 아홉 구)

아는 어휘에 ✔ 표시를 해 보고, 어휘의 뜻을 생각하며 글을 읽어 보세요.

□ 지배 □ 강제 □ 광장 □ 명중시키다

공부한 날

월 일

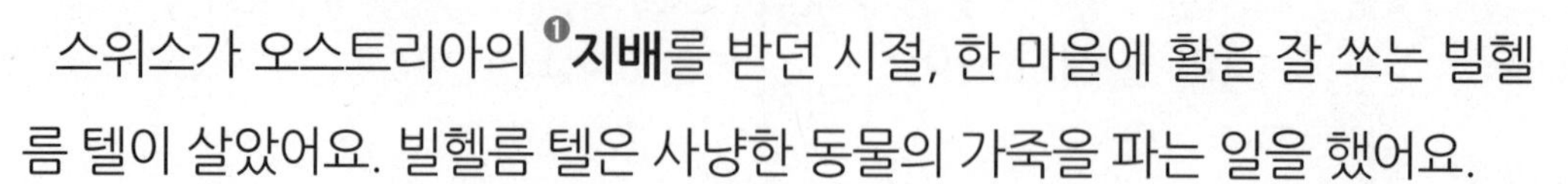

스위스가 오스트리아의 [1]**지배**를 받던 시절, 한 마을에 활을 잘 쏘는 빌헬름 텔이 살았어요. 빌헬름 텔은 사냥한 동물의 가죽을 파는 일을 했어요.

오스트리아에서 온 [2]**총독**은 성을 쌓기 위해 많은 사람에게 [3]**강제**로 일을 시켰어요. 또 [4]**광장**에 모자를 씌운 막대기를 세워 두고 지나가는 마을 사람들에게 이 모자에 인사하게 했어요.

어느 날 빌헬름 텔과 아들은 광장 앞에서 이 모자를 그냥 지나쳤어요. 총독의 부하들은 그 자리에서 빌헬름 텔과 아들을 [5]**체포했어요**.

"모자에 인사해야 한다는 것을 몰랐습니다. 용서해 주십시오."

빌헬름 텔은 총독에게 용서를 구했어요. 그러나 [6]**잔인하고** 심술궂은 총독은 활을 등에 지고 있는 빌헬름 텔을 보고 말했어요.

"아들 머리에 얹은 사과에 화살을 쏘아 맞히면 용서해 주겠다."

빌헬름 텔은 [7]**십중팔구** 화살을 [8]**과녁**에 [9]**명중시킬** 정도로 활 솜씨가 좋았지만, 아들이 혹시라도 다칠까 봐 걱정했어요. 그러나 어쩔 수 없이 아들 머리에 얹은 사과에 활을 쏘아야 했어요. 빌헬름 텔은 마음을 단단히 먹고 활을 쏘았어요. 사람들은 모두 가슴을 졸이며 그 모습을 지켜보았어요. 마침내 빌헬름 텔의 화살은 아들 머리 위 사과에 정확히 꽂혔고, 아들은 [10]**무사했답니다**.

❶ **지배**: 힘으로 다른 사람들을 따르게 하고 다스리는 것.

❷ **총독**: 정치, 경제, 군사의 모든 통치권을 가지고 다스리는, 식민지 통치 기구의 우두머리.

❸ **강제**: 힘으로 남이 원하지 않는 일을 억지로 시킴.

❹ **광장**: 많은 사람이 모일 수 있게 만들어 놓은 넓은 곳.

❺ **체포했어요**: 죄를 지었거나 죄를 지었을 것으로 의심되는 사람을 잡았어요.

❻ **잔인하고**: 인정이 없고 아주 매섭고 독하고.

❼ **십중팔구**: 열 가운데 여덟이나 아홉 정도로 거의 대부분.

❽ **과녁**: 총이나 활을 겨냥하여 쏠 수 있도록 만든 물건.

❾ **명중시킬**: 화살이나 총알 등을 겨냥한 곳에 바로 맞힐.

❿ **무사했답니다**: 아무런 문제나 어려움 없이 편안했답니다.

내용 이해하기

정답과 해설 14쪽

1 **빌헬름 텔과 아들이 체포된 까닭이 되도록 빈칸에 들어갈 말을 쓰세요.**

광장에 세워 둔 모자에 ☐☐하지 않아서

2 **총독이 다음과 같이 말했을 때 빌헬름 텔의 마음으로 알맞은 것을 고르세요.** (　　)

① '활 쏘는 방법을 몰라 당황스러워.'
② '아들이 혹시라도 다칠까 봐 걱정이 돼.'

3 **빈칸에 공통으로 들어갈 말을 글에서 찾아 쓰세요.**

- '☐☐☐☐'는 '열 가운데 여덟이나 아홉 정도로 거의 대부분.'이라는 뜻이에요.
- 빌헬름 텔은 ☐☐☐☐ 화살을 명중시킬 정도로 활 솜씨가 좋았기 때문에 아들 머리에 얹은 사과에도 화살을 정확히 맞혔어요.

어휘 익히기

4 **다음 뜻에 알맞은 낱말을 보기 에서 찾아 빈칸에 쓰세요.**

보기	강제	광장	지배

(1) ☐☐ : 힘으로 남이 원하지 않는 일을 억지로 시킴.

(2) ☐☐ : 많은 사람이 모일 수 있게 만들어 놓은 넓은 곳.

(3) ☐☐ : 힘으로 다른 사람들을 따르게 하고 다스리는 것.

5 **다음 낱말에 어울리는 그림을 고르세요. (   )**

6 **다음 대화를 읽고, 빈칸에 들어갈 한자 성어를 쓰세요.**

맞춤법 · 받아쓰기

정답과 해설 14쪽

7 다음 문장에 들어갈 바른 낱말에 ○표 하세요.

(1) 실패할까 봐 가슴을 {조리며 / 졸이며} 지켜보았어요.

(2) 눈사람에 모자를 {씨운 / 씌운} 후, 사진을 찍었어요.

8 밑줄 친 낱말을 바르게 고쳐 쓰세요.

(1) 막데기를 세워 두었어요.

➜ 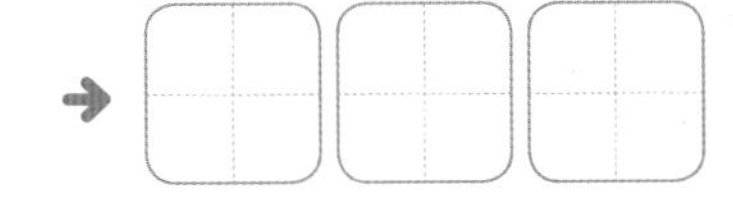

(2) 화살이 과녁에 정확히 꼬쳤어요.

➜ 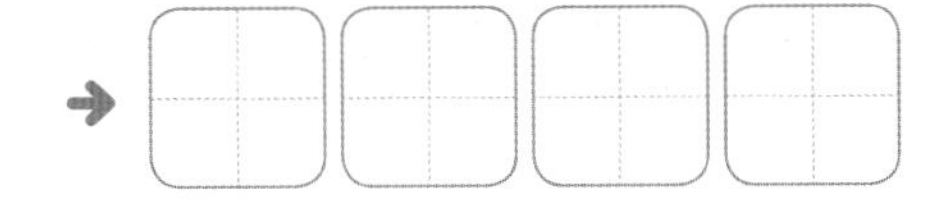

9 들려주는 말을 잘 듣고 띄어쓰기에 유의하여 받아쓰세요.

(1)

(2)

(3)

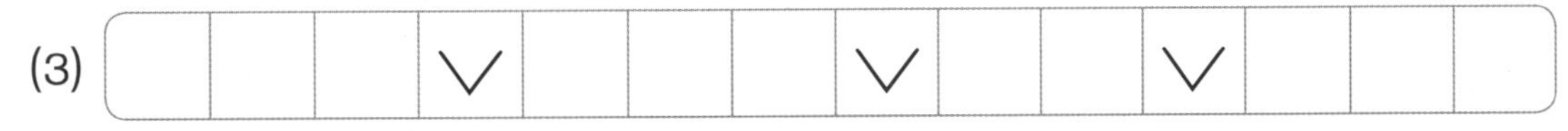

QR코드를 찍어 낱말 게임을 해 보세요.

Day 24

교과 어휘

공공장소의 이용

아는 어휘에 ✔ 표시를 해 보고, 어휘의 뜻을 생각하며 글을 읽어 보세요.

□ 흥미롭다 □ 무찌르다 □ 어지럽히다 □ 배려하다

공부한 날

월 일

❶ **시리즈**: 드라마나 책 등이 한 번으로 끝나지 않고 일정한 틀을 유지한 채 여러 번 이어져 나오는 것.

❷ **공공장소**: 도서관, 공원, 우체국 등 여러 사람이 함께 이용하는 곳.

❸ **영웅**: 재주와 용기가 특별히 뛰어나 보통 사람이 하기 어려운 일을 하는 사람.

❹ **흥미롭다**: 마음을 쏠리게 하는 재미가 있다.

❺ **무찌르는**: 적을 공격해 물리치는.

❻ **어지럽히는**: 사회를 질서가 없이 혼란스럽게 하는.

❼ **소란**: 시끄럽고 정신없게 복잡함.

❽ **배려하는**: 관심을 가지고 보살펴 주거나 도와주는.

7월 21일 토요일 날씨 맑음

아침 일찍 일어나 도서관에 갔다. 요즘 빠져 있는 만화 ❶**시리즈**를 읽기 위해서이다. 그 만화책에는 ❷**공공장소**를 지키는 ❸**영웅** 산이가 나온다. 책마다 다른 공공장소가 펼쳐지고 그 장소에 따라 산이가 새로운 로봇으로 변신하는 것이 매우 ❹**흥미롭다**. 특히 공원, 놀이터, 극장, 전철역 등에서 악당을 ❺**무찌르는** 주인공 산이의 모습은 정말 멋있다.

오늘은 산이가 병원의 질서를 ❻**어지럽히는** 악당들을 무찌르는 이야기를 읽었다. 악당들은 병원에서 ❼**소란**을 피우고 더러운 쓰레기도 버렸다. 나는 산이가 어떤 로봇으로 변신할까 궁금해서 열심히 읽어 내려갔다.

드디어 산이가 로봇으로 변신!

아, 그런데 중요한 부분 몇 쪽이 찢겨 있었다. 가장 멋지게 그려졌을 변신 장면이 담겨 있을 텐데.

나는 매우 실망했다. 만화 내용이 궁금하기도 했지만, 함께 보는 책을 찢는 행동에 화가 났다. 공공장소의 영웅 산이가 나오는 책을 같이 읽는 친구들이 공공장소에서 이런 일을 하다니 부끄러운 마음이 들었다.

공공장소는 여러 사람이 함께 이용하는 곳이다. 공공장소에 놓여 있는 물건도 여러 사람이 함께 사용하는 것이다. 사람들이 서로를 ❽**배려하는** 마음을 가지고 공공장소를 깨끗하고 소중하게 이용하면 좋겠다.

정답과 해설 14쪽

내용 이해하기

1 글쓴이가 읽은 책에 ○표 하세요.

2 글의 내용으로 맞는 것을 고르세요. (　　　)

① 공공장소에서는 여러 가지 놀이를 할 수 있다.
② 도서관과 같은 공공장소에 있는 책을 찢어서 가져도 된다.
③ 공공장소에 놓여 있는 물건은 여러 사람이 함께 사용하는 것이다.

3 빈칸에 들어갈 말을 글에서 찾아 쓰세요.

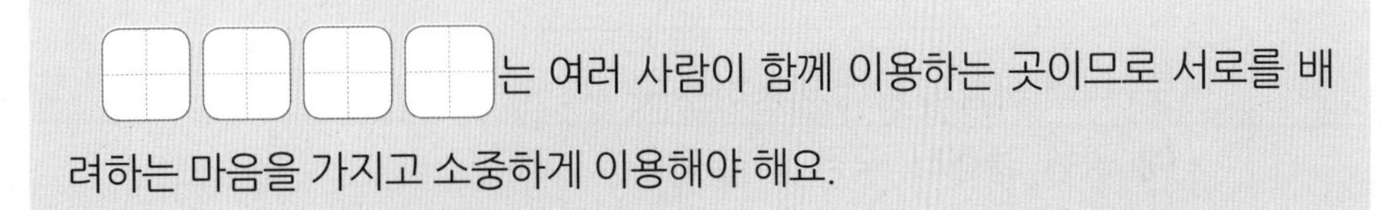

□□□□는 여러 사람이 함께 이용하는 곳이므로 서로를 배려하는 마음을 가지고 소중하게 이용해야 해요.

어휘 익히기

4 다음 뜻에 알맞은 낱말을 보기 에서 찾아 빈칸에 쓰세요.

보기	무찌르다	배려하다

(1) □□□□: 적을 공격해 물리치다.

(2) □□□□: 관심을 가지고 보살펴 주거나 도와주다.

5 빈칸에 들어갈 낱말을 보기 에서 찾아 쓰세요.

보기	부끄러운	흥미로운	어지럽히는	지키는

(1) 옛날이야기를 듣는 것은 [ ] 일이에요.

↳ 마음을 쏠리게 하는 재미가 있는.

(2) 쓰레기를 함부로 버리는 것은 질서를 [ ] 일이에요.

↳ 혼란스럽게 하는.

6 다음 빈칸에 들어갈 낱말을 쓰세요.

- **뜻**: 여러 사람이 함께 이용하는 곳.
- **예**: 공원, 놀이터, 극장, 전철역 등

맞춤법 · 받아쓰기

7 **다음 문장에 들어갈 바른 낱말에 ○표 하세요.**

(1) 책을 마음대로 {찟는 / 찢는} 것은 나쁜 행동이에요.

(2) 색종이가 군데군데 {찌껴 / 찢겨} 있었어요.

8 **밑줄 친 낱말을 바르게 고쳐 쓰세요.**

(1) 나는 친구들과 <u>가치</u> 축구를 했어요.

→ 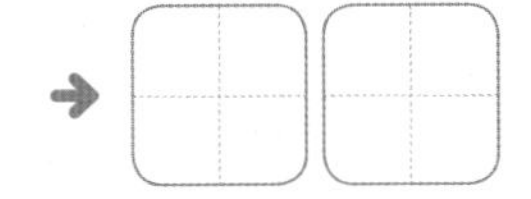

(2) 나는 자동차로 <u>변시나는</u> 로봇을 선물로 받았어요.

→ 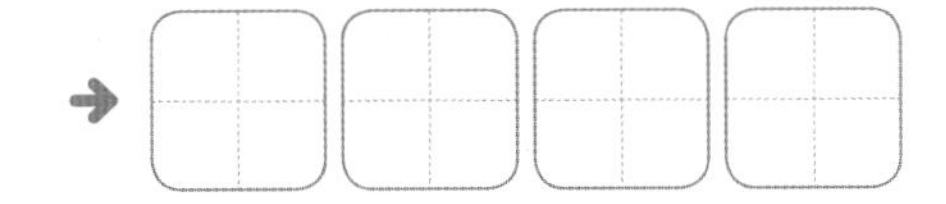

9 **들려주는 말을 잘 듣고 띄어쓰기에 유의하여 받아쓰세요.**

(1) | | | | ∨ | | | ∨ | | | | |

(2) | ∨ | | ∨ | | ∨ | | | . | |

(3) | | | ∨ | | | ∨ | | | | |

QR코드를 찍어 낱말 게임을 해 보세요.

Day 25

한자 어휘

안전(安全)

● 安(안)은 '편안함'을 뜻해요.

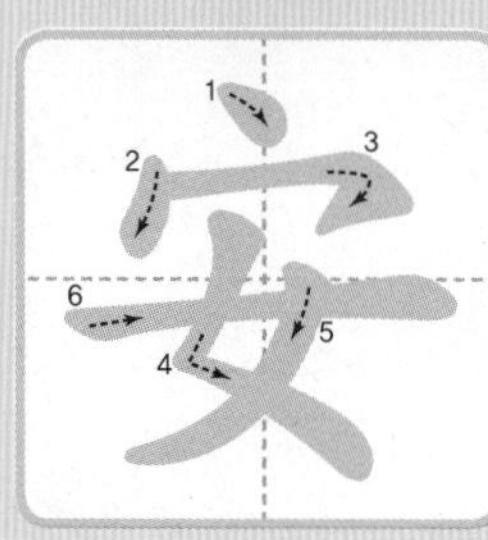

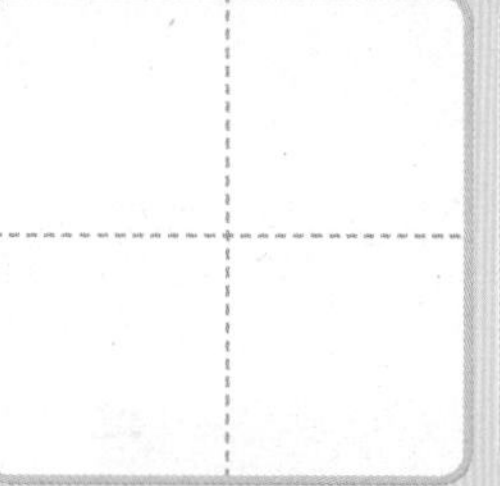

安(안)이 들어간 다음 어휘 중에서 아는 것에 ✓ 표시를 해 보세요.

☐ 안심 ☐ 안부 ☐ 보안

안 심 편안 安 마음 심	뜻 걱정 없이 마음을 편히 가짐. 예 엄마 품에 안기니 무섭지 않고 안심이 됐어요.
안 부 편안 安 아닐 否	뜻 어떤 사람이 잘 지내는지에 대한 소식. 또는 인사로 그것을 전하거나 묻는 일. 예 아빠는 주말마다 할아버지께 안부 전화를 드려요.
보 안 지킬 保 편안 安	뜻 중요한 정보 등이 빠져나가서 문제가 생기지 않도록 안전한 상태로 지키고 보호함. 예 보안을 위해 육 개월마다 비밀번호를 바꿔 주세요.

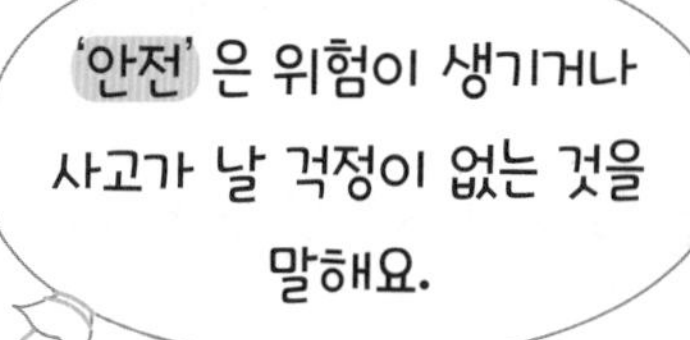

● 全(전)은 '완전함', '모두' 등을 뜻해요.

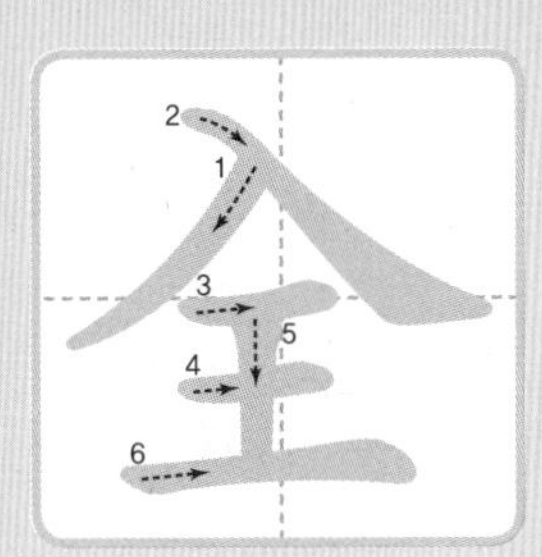

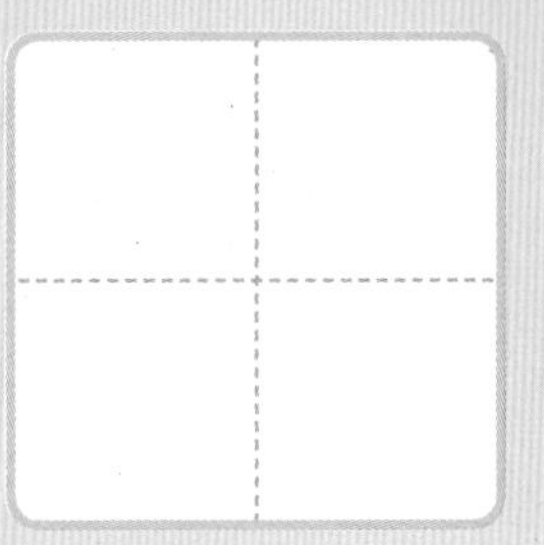

全(전)이 들어간 다음 어휘 중에서 아는 것에 ✓ 표시를 해 보세요.

- ☐ 전체
- ☐ 전액
- ☐ 전교

전 체
온전할 全 / 몸 體

뜻 낱낱을 모아 하나의 대상으로 할 때 그 대상.

예 학교 강당에 1학년 전체 학생이 모였어요.

전 액
온전할 全 / 이마 額

뜻 내거나 받은 돈의 전부.

예 성금 전액은 불우이웃 돕기에 쓰일 거예요.

전 교
온전할 全 / 학교 校

뜻 한 학교의 전체.

예 민혁이는 전교에서 제일 달리기를 잘해요.

1 다음 뜻과 음을 가진 한자를 보기 에서 찾아 번호를 쓰세요.

보기	① 安	② 事	③ 大	④ 全

(1) 편안 안 – ☐　　(2) 온전할 전 – ☐

2 다음 낱말의 알맞은 뜻을 찾아 선으로 이으세요.

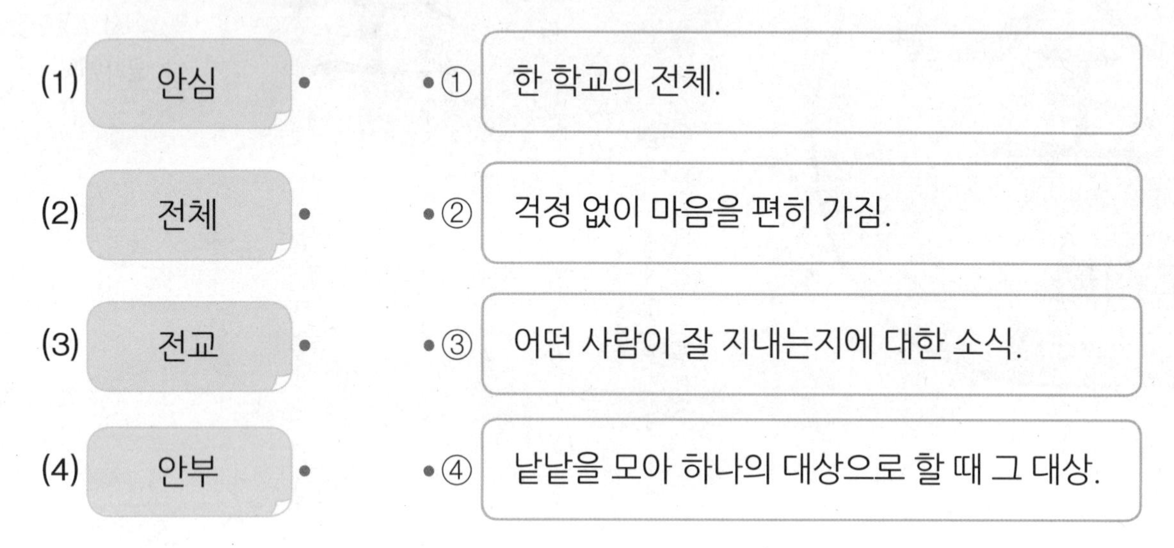

3 보기 의 글자를 둘씩 짝지어 빈칸에 들어갈 낱말을 쓰세요.

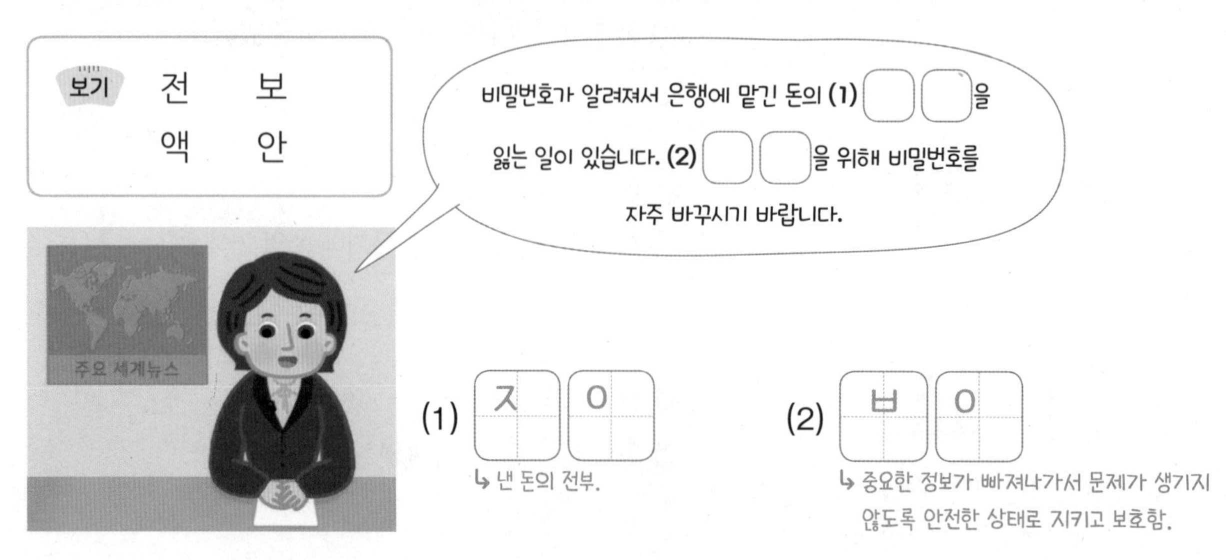

무슨 낱말일까요?

4 다음 빈칸에 '안(安)'과 '전(全)' 가운데에서 알맞은 글자를 쓰세요.

정답과 해설 15쪽

몸이나 마음이 편하고 좋음.

(1) 편 ☐ 한 자세로 앉아 책을 읽었어요.

마음이 편하지 않고 조마조마함.

(2) 나는 불 ☐ 하면 손톱을 물어뜯어요.

安 안 전 全

(3) ☐ 력 을 다해서 달렸지만 결국 꼴찌로 들어왔어요.

모든 힘.

(4) 할머니는 망가진 인형을 ☐ 부 고쳐 주셨어요.

빠짐없이 모두 다.

QR코드를 찍어 낱말 게임을 해 보세요.

맞은 개수 ______ /4개

정답과 해설 15쪽

5주차 | 복습

다음 뜻에 알맞은 낱말을 퍼즐판에서 찾고 빈칸에 쓰세요.

(1) 치 ☐ ☐ ☐ : 병이나 상처 등을 낫게 하다.

(2) ☐ 당 ☐ ☐ : 말이나 행동이 진실하지 않고 터무니없다.

(3) 강 ☐ : 힘으로 남이 원하지 않는 일을 억지로 시킴.

(4) 흥 ☐ ☐ ☐ : 마음을 쏠리게 하는 재미가 있다.

(5) ☐ 려 ☐ ☐ : 관심을 가지고 보살펴 주거나 도와주다.

(6) 안 ☐ : 걱정 없이 마음을 편히 가짐.

(7) 전 ☐ : 한 학교의 전체.

6주 어휘 미리보기

뜻을 알고 있는 어휘에 ✓ 표 해 보세요.

	배울 내용	배울 어휘	공부한 날
Day 26	속담 티끌 모아 태산	☐ 짱짱하다 ☐ 어리석다 ☐ 톨 ☐ 펑펑 ☐ 대접하다	월 일
Day 27	관용어 엉덩이가 무겁다	☐ 게으르다 ☐ 야단맞다 ☐ 우렁차다 ☐ 부지런하다	월 일
Day 28	한자 성어 일거양득(一擧兩得)	☐ 묵다 ☐ 용맹하다 ☐ 느긋하다 ☐ 손쉽다	월 일
Day 29	교과 어휘 추수	☐ 풍년 ☐ 볏단 ☐ 논두렁 ☐ 수확 ☐ 우애	월 일
Day 30	한자 어휘 차도(車道)	☐ 주차장 ☐ 세차장 ☐ 자전거 ☐ 도로 ☐ 복도 ☐ 효도	월 일

Day 26

속담

티끌 모아 태산

아는 어휘에 ✓ 표시를 해 보고, 어휘의 뜻을 생각하며 글을 읽어 보세요.

□ 쨍쨍하다 □ 어리석다 □ 톨 □ 펑펑 □ 대접하다

공부한 날

월 일

❶ **쨍쨍한**: 햇볕 등이 몹시 내리쬐는.

❷ **어리석은**: 생각이나 행동이 똑똑하거나 지혜롭지 못한.

❸ **티끌 모아 태산**: 아무리 작은 것이라도 모이면 나중에 큰 것이 됨을 뜻하는 말.

❹ **톨**: 곡식이나 밤의 낱알을 세는 단위.

❺ **힐끗**: 슬쩍 한 번 흘겨보는 모양.

❻ **펑펑**: 눈이나 비가 세차게 쏟아져 내리는 모양.

❼ **대접했어요**: 손님으로 맞아 음식을 차려 주었어요.

햇볕이 ❶**쨍쨍한** 여름날, 멋쟁이 베짱이는 풀잎에 드러누워 즐겁게 노래를 불렀어요. 노래를 부르니 기분이 무척 좋았어요.

"저쪽 좀 봐. 보리알이 잔뜩 떨어져 있어."

개미들은 보리알을 열심히 날랐어요. 개미들은 할 일이 많아 잠시도 쉬지 못했어요.

"❷**어리석은** 개미들아, 왜 그렇게 열심히 일하니?"

"베짱이 너는 일은 안 하고 노래만 하니?"

"노래를 부르면 즐거워. 작은 곡식을 열심히 날라도 많이 모으지 못하고 힘만 들잖아."

베짱이가 개미들을 한심하다는 듯이 쳐다보며 말했어요.

"❸**티끌 모아 태산**이야. 한 ❹**톨** 두 톨 모으다 보면 많이 모을 수 있어."

개미들은 베짱이를 ❺**힐끗** 쳐다보고는 다시 일을 하러 갔어요. 베짱이는 겨울을 날 준비는 하지 않고 매일 신나게 노래를 불렀어요.

흰 눈이 ❻**펑펑** 내린 겨울날 아침, 베짱이는 춥고 배가 고파 엉엉 울었어요. 베짱이는 개미네 집에 찾아갔어요. 개미들의 집은 따뜻했고 창고마다 먹을 것이 가득했어요. 베짱이는 여름 내내 놀기만 했던 것이 창피했어요.

"저, 미안하지만 먹을 것을 좀 나눠 주지 않겠니? 너무 배가 고파……."

"그것 봐. **티끌 모아 태산** 맞지? 우리가 모은 것은 우리가 먹고도 너에게 나눠 줄 만큼 많단다."

개미들은 베짱이에게 따뜻한 식사를 ❼**대접했어요**.

내용 이해하기

1 **이야기의 순서대로 ▢ 안에 숫자를 쓰세요.**

▢ ▢ ▢

2 **베짱이가 개미네 집에 찾아갔을 때 개미들이 한 행동을 고르세요. (　　　)**

① 베짱이가 불쌍하다며 엉엉 울었어요.
② 베짱이에게 따뜻한 식사를 대접했어요.
③ 베짱이를 어리석다고 놀리며 집에서 내쫓았어요.

3 **빈칸에 들어갈 말을 글에서 찾아 쓰세요.**

여름 내내 곡식을 한 톨, 두 톨 열심히 모은 개미들의 창고에는 추운 겨울에도 먹을 것이 가득했어요. 이처럼 '아무리 작은 것이라도 모이면 나중에는 큰 것이 된다.'는 뜻을 지닌 속담은 '▢▢ ▢▢ ▢▢'이에요.

어휘 익히기

4 **다음 뜻에 알맞은 낱말을 보기 에서 찾아 빈칸에 쓰세요.**

보기 대접하다 어리석다 쨍쨍하다

(1) □□□□: 햇볕 등이 몹시 내리쬐다.

(2) □□□□: 손님으로 맞아 음식을 차려 주다.

(3) □□□□: 생각이나 행동이 똑똑하거나 지혜롭지 못하다.

5 **문장에 어울리는 낱말을 안에서 골라 ○표 하세요.**

(1) 창밖에 눈이 평평 / 엉엉 내리고 있어요.

(2) 시율이는 밥 한 개 / 톨 남기지 않고 깨끗이 다 먹었어요.

6 **다음 만화를 읽고, 빈칸에 들어갈 말을 고르세요. (　　　)**

① 티끌　② 한 톨　③ 백지장

정답과 해설 15쪽

7 **다음 문장에 들어갈 바른 낱말에 ○표 하세요.**

(1) {풀잎 / 풀립}에 물방울이 맺혀 있어요.

(2) 나는 많은 사람들 앞에서 운 것이 {창피했어요 / 챙피했어요}.

8 **밑줄 친 낱말을 바르게 고쳐 쓰세요.**

(1) 침대에 <u>들어누워</u> 있었어요.

→ 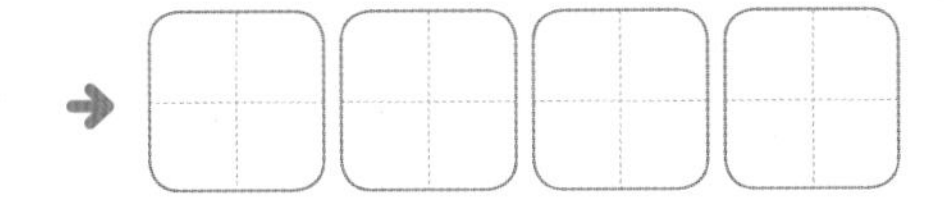

(2) 혜나는 엄마를 <u>힐긋</u> 보며 눈치를 살폈어요.

→ 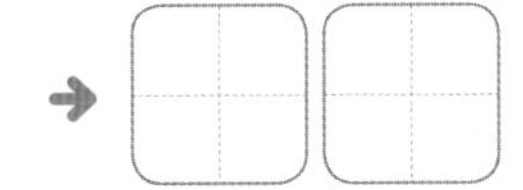

9 **들려주는 말을 잘 듣고 띄어쓰기에 유의하여 받아쓰세요.**

(1)
(2)
(3)

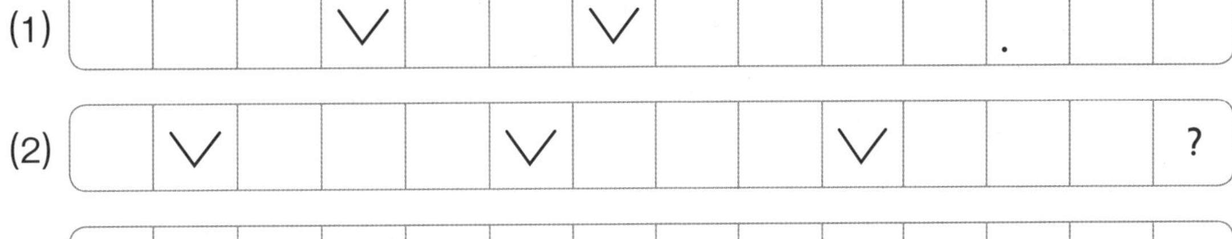

맞은 개수 ______ /9개

스스로 붙임딱지

Day 27

관용어

엉덩이가 무겁다

아는 어휘에 ✔ 표시를 해 보고, 어휘의 뜻을 생각하며 글을 읽어 보세요.

☐ 게으르다 ☐ 야단맞다 ☐ 우렁차다 ☐ 부지런하다

공부한 날

월 일

❶ **게으른**: 행동이 느리고 움직이거나 일하기를 싫어하는.

❷ **야단맞고**: 꾸지람을 듣고.

❸ **엉덩이가 무거워**: 한번 자리를 잡고 앉으면 좀처럼 일어나지 않아.

❹ **투덜거리며**: 작고 낮은 목소리로 자꾸 불평을 하며.

❺ **울부짖었지만**: 마구 울면서 큰 소리를 냈지만.

❻ **우렁찬**: 소리의 울림이 매우 크고 힘찬.

❼ **종일**: 아침부터 저녁까지 내내.

❽ **부지런히**: 게으름을 부리지 않고 꾸준하게 열심히.

옛날 깊은 산골 마을에 '먹쇠'라는 ❶**게으른** 아이가 살았어요. 먹쇠는 일하는 것도 공부하는 것도 싫어하고 먹고 자기만 했어요.

"먹쇠야, 점심때가 다 되었다. 어서 일어나지 못해!"

먹쇠는 어머니께 ❷**야단맞고** 겨우 일어났어요.

"어서 나가서 소에게 풀 좀 먹이고 오너라."

먹쇠는 싫은 표정을 짓고 한참을 앉아 있었어요.

"❸**엉덩이가 무거워** 큰일이다. 네가 커서 뭐가 될지 걱정이야."

먹쇠는 ❹**투덜거리며** 소에게 풀을 먹이러 갔어요.

"나도 소처럼 편안히 풀이나 뜯어 먹으며 살고 싶어."

지나가던 할아버지가 먹쇠의 말을 들었어요.

"정말 소가 되고 싶은 것이냐? 그럼 이 소 모양의 탈을 쓰렴."

먹쇠가 탈을 쓰자 소가 되었어요. 깜짝 놀란 먹쇠가 소리를 질렀지만, 음매음매 하는 소의 울음소리만 났어요. 할아버지는 소가 된 먹쇠를 끌고 장터에 갔어요. 먹쇠는 계속 ❺**울부짖었지만** 음매 소리만 날 뿐이었어요.

"할아버지, 소리가 ❻**우렁찬** 이놈을 사겠소."

"조심할 것이 있소. 이 소는 무를 먹으면 죽으니 무를 먹이지 마시오."

팔려 간 먹쇠는 눈물을 흘리며 ❼**종일** 밭을 갈았어요. 그때 먹쇠는 밭에 심겨 있는 무를 보았어요.

"내가 게으르게 살아서 벌을 받는구나. 다시 태어나면 ❽**부지런히** 살자."

먹쇠는 조심스럽게 무를 먹었어요. 그런데 먹쇠가 무를 먹자 다시 사람이 되었어요. 집으로 돌아온 먹쇠는 매일 열심히 일하며 행복하게 살았어요.

내용 이해하기

1 **할아버지가 소가 된 먹쇠에게 먹이지 말라고 한 것을 고르세요. (　　　)**

① 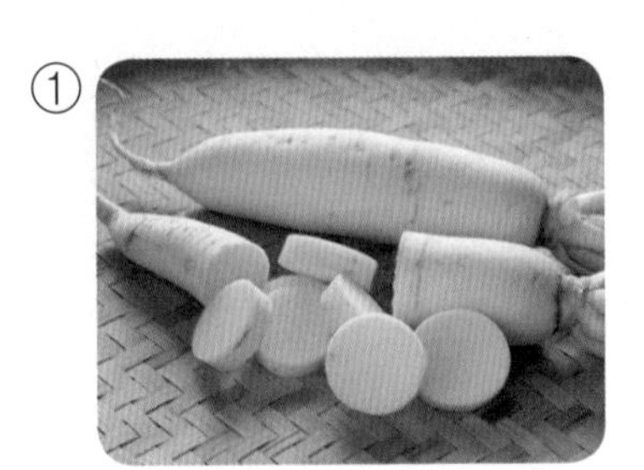
② 
③ 

2 **글의 내용으로 맞지 않는 것을 고르세요. (　　　)**

① 소 모양의 탈을 쓴 먹쇠는 소가 되었어요.
② 소가 된 먹쇠는 계속 울부짖다가 팔려 갔어요.
③ 다시 사람이 된 먹쇠는 더욱더 게으르게 살았어요.

3 **빈칸에 들어갈 말을 글에서 찾아 쓰세요.**

먹쇠는 일하는 것을 싫어하고 먹고 자기만 했어요. 어머니가 심부름을 시켜도 움직이지 않았지요. □□□가 무거운 먹쇠는 어머니께 야단을 맞고 나서야 겨우 일어났어요.

어휘 익히기

4 **빈칸에 들어갈 낱말을 찾아 선으로 이으세요.**

(1) 숙제를 안 해서 선생님께 [　　　　]. •　　　　• ① 우렁찼다

↳ 꾸지람을 들었다.

(2) 사람들의 박수 소리가 참 [　　　　]. •　　　　• ② 야단맞았다

↳ 소리의 울림이 매우 크고 힘찼다.

5 **개미의 말에서 밑줄 친 낱말과 뜻이 반대인 것을 고르세요. (　　　)**

① 울부짖다
② 투덜거리다
③ 부지런하다

6 **다음 만화를 보고, 빈칸에 들어갈 말을 고르세요. (　　　)**

① 입이 가볍구나　　② 입이 무겁구나
③ 엉덩이가 가볍구나　　④ 엉덩이가 무겁구나

맞춤법·받아쓰기

정답과 해설 16쪽

7 다음 문장에 들어갈 바른 낱말에 ○표 하세요.

(1) 멀리서 고양이 {우름소리 / 울음소리}가 들렸어요.

(2) 나는 {매일 /메일} 열심히 운동을 해요.

(3) 황소가 밭을 {가랐어요 / 갈았어요}.

8 밑줄 친 낱말을 바르게 고치지 못한 것을 고르세요. (　　　)

① 나도 편안이 쉬고 싶어요. → 편안히
② 아이는 놀란 표정을 짖고 서 있어요. → 짓고
③ 식탁에 함께 안자 밥을 먹었어요. → 앉아
④ 천둥 소리에 소들이 놀라 울부짓었어요. → 울부짇었어요

9 들려주는 말을 잘 듣고 띄어쓰기에 유의하여 받아쓰세요.

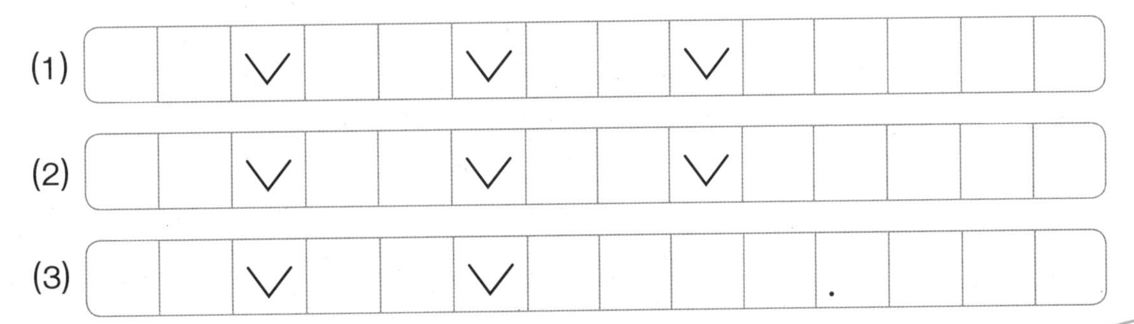

QR코드를 찍어 낱말 게임을 해 보세요.

맞은 개수 ______ /9개

스스로 붙임딱지

Day 28

한자 성어

일거양득(一 한 일 擧 들 거 兩 두 양(량) 得 얻을 득)

아는 어휘에 ✔ 표시를 해 보고, 어휘의 뜻을 생각하며 글을 읽어 보세요.

□ 묵다 □ 용맹하다 □ 느긋하다 □ 손쉽다

공부한 날

월 일

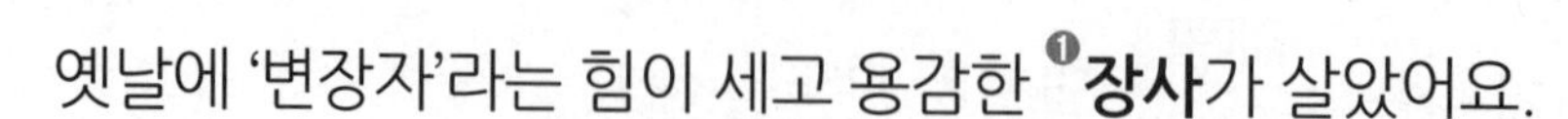

옛날에 '변장자'라는 힘이 세고 용감한 [1]**장사**가 살았어요.

어느 날 변장자가 길을 가다가 [2]**주막**에서 하룻밤을 [3]**묵었어요**. 변장자가 자려고 하는데 바깥이 소란스러웠어요. 문을 열어 밖을 보니 호랑이 두 마리가 소 한 마리를 차지하려고 서로 싸우고 있었어요. [4]**용맹한** 변장자는 벌떡 일어나 호랑이를 잡으러 나가려고 했어요. 그때 주막에서 심부름을 하던 젊은이가 [5]**느긋하게** 말했어요.

"손님, 서두를 필요가 없습니다."

"아니, 호랑이가 나타났는데 그냥 있으란 말이냐?"

변장자가 이해할 수 없다는 듯이 쳐다보자, 젊은이가 말했어요.

"호랑이는 한 마리가 아니라 두 마리입니다. 둘은 서로 소를 잡아먹으려고 싸울 것이고, 가만히 놔두면 둘 중 하나가 이길 것입니다. 이긴 놈도 싸우다가 큰 상처를 입고 힘이 빠져 있을 것입니다. 그때 지쳐 있는 놈을 잡으면 [6]**손쉽게** 한 번에 두 마리를 잡을 수 있지요."

"옳거니! 그야말로 [7]**일거양득**이로군!"

변장자는 호랑이들의 싸움이 끝날 때까지 기다렸고, 한 번에 호랑이 두 마리를 잡았어요.

1. **장사**: 몸집이 크고 힘이 아주 센 사람.
2. **주막**: 시골 길가에서 밥과 술을 팔고, 돈을 받고 나그네를 묵게 하는 집.
3. **묵었어요**: 어디에서 손님으로 머물렀어요.
4. **용맹한**: 용감하고 날래며 기운찬.
5. **느긋하게**: 서두르지 않고 마음의 여유가 있게.
6. **손쉽게**: 어떤 것을 처리하거나 다루기가 어렵지 않게.
7. **일거양득**: 한 가지 일을 해서 두 가지 이익을 얻음.

내용 이해하기

1 **변장자에 대한 설명으로 알맞은 것을 고르세요. (　　　)**

① 힘이 아주 세고 용감한 장사예요.

② 주막에서 심부름을 하는 젊은이예요.

2 **변장자가 호랑이들을 잡은 순서대로 ▢ 안에 숫자를 쓰세요.**

▢　▢　▢

3 **빈칸에 들어갈 말을 글에서 찾아 쓰세요.**

변장자는 호랑이들의 싸움이 끝난 뒤에 한 번에 두 마리 호랑이를 잡았어요. 이렇게 한 가지 일을 해서 두 가지 이익을 얻는 것을 '▢▢▢▢'이라고 해요.

어휘 익히기

4 다음 낱말의 알맞은 뜻을 찾아 선으로 이으세요.

(1) 묵다 •　　　　• ① 용감하고 날래며 기운차다.

(2) 손쉽다 •　　　　• ② 어디에서 손님으로 머무르다.

(3) 용맹하다 •　　　　• ③ 어떤 것을 다루기가 어렵지 않다.

5 다음 낱말과 뜻이 반대인 것에 ○표 하세요.

느긋하다 ↔ ☐ 서두르다
　　　　　　☐ 소란스럽다

6 다음 상황에 알맞은 한자 성어를 고르세요. (　　　)

- 줄넘기를 했더니 키도 크고 몸도 튼튼해졌어.
- 방 청소를 했더니 방도 깨끗해지고 잃어버렸던 용돈도 찾았어.

① 동문서답　　② 칠전팔기　　③ 일거양득

맞춤법 · 받아쓰기

6주차 Day 28

7 **다음 문장에 들어갈 바른 낱말에 ○표 하세요.**

(1) {바깥 / 바깓}이 너무 추워요.

(2) 창문 {박 / 밖}을 내다보았어요.

정답과 해설 16쪽

8 **밑줄 친 낱말을 바르게 고쳐 쓰세요.**

(1) 힘이 <u>새고</u> 용감해요.

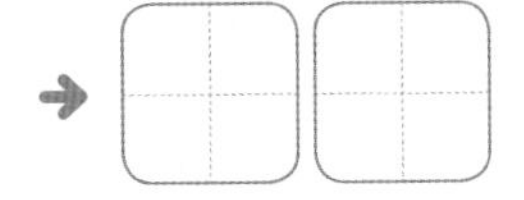

(2) 거기에 가만히 <u>나두면</u> 돼요.

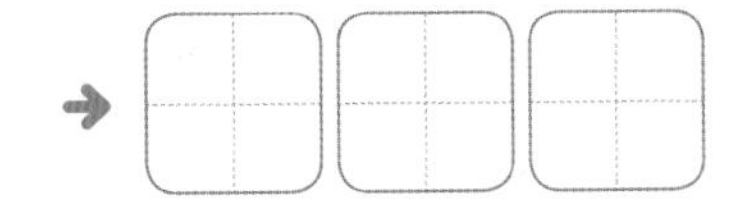

1단계 28 받아쓰기

9 **들려주는 말을 잘 듣고 띄어쓰기에 유의하여 받아쓰세요.**

(1)

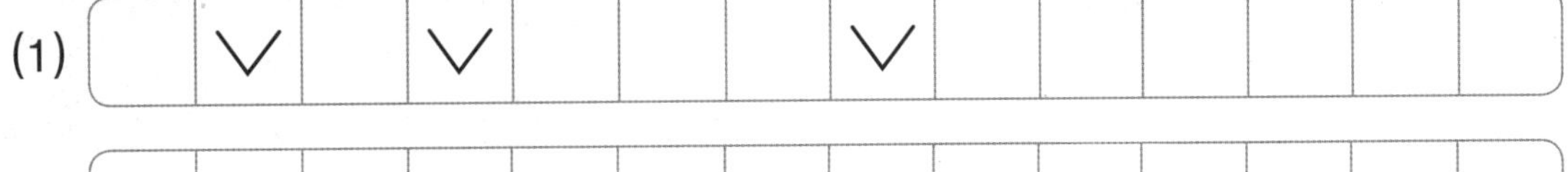

(2)

(3)

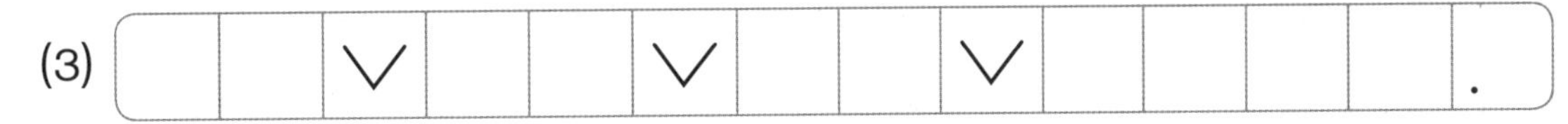

QR코드를 찍어 낱말 게임을 해 보세요.

1단계 28 낱말 게임

맞은 개수 ______ /9개

스스로 붙임딱지

Day 29

교과 어휘

추수

아는 어휘에 ✓ 표시를 해 보고, 어휘의 뜻을 생각하며 글을 읽어 보세요.

□ 풍년 □ 볏단 □ 논두렁 □ 수확 □ 우애

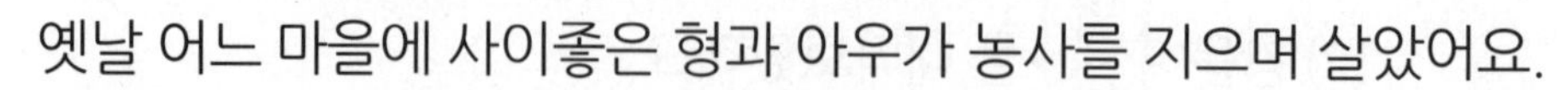

공부한 날

월 일

❶ **추수**: 가을에 논과 밭에서 잘 익은 곡식이나 작물 등을 거두어들임.

❷ **풍년**: 농사가 잘되어 다른 때보다 수확이 많은 해.

❸ **볏단**: 벼를 베어서 묶은 것.

❹ **논두렁**: 물이 모여 있도록 논의 가장자리를 흙으로 둘러서 막은 둑.

❺ **수확**: 심어서 가꾼 농작물을 거두어들임.

❻ **누리고**: 생활 속에서 마음껏 즐기거나 맛보고.

❼ **우애**: 형제 또는 친구 사이의 정과 사랑.

옛날 어느 마을에 사이좋은 형과 아우가 농사를 지으며 살았어요.

가을이 되어 벼가 누렇게 익고 ❶**추수**를 할 때가 되었어요. 올해 형제의 벼농사는 ❷**풍년**이 들었어요. 형제는 각자의 논에서 익은 벼를 베어 ❸**볏단**을 만들었어요.

'형님은 나보다 식구가 많으니 벼가 더 많이 필요할 거야. 볏단을 형님께 나눠 드리면 형님이 안 받으실 테니 몰래 드려야겠어.'

아우는 밤에 자신의 볏단을 덜어 형의 논에 몰래 가져다 두었어요.

'동생은 장가간 지 얼마 안 되었으니 이것저것 필요한 게 많을 거야.'

형도 밤에 자신의 볏단을 덜어 아우의 논에 몰래 가져다 두었어요.

아침이 되자 형과 아우는 깜짝 놀랐어요. 분명히 어젯밤에 자신의 볏단을 덜어서 옮겼는데도 볏단의 양이 그대로였기 때문이에요.

이튿날 밤이 되자 아우는 볏단을 지고 형의 논으로 향했어요. 형도 볏단을 지고 아우의 논으로 향했지요. 캄캄한 밤중에 무거운 볏단을 지고 가던 형제는 ❹**논두렁**에서 부딪혔어요. 형과 아우는 서로의 모습을 보고 각자의 논에 있는 볏단의 양이 그대로인 까닭을 알 수 있었어요.

"형님, 저를 이리도 생각해 주시니 고맙습니다."

"아우야, 항상 고맙다."

형과 아우는 ❺**수확**의 기쁨을 두 배로 ❻**누리고** 더 ❼**우애** 있게 지냈답니다.

내용 이해하기

정답과 해설 17쪽

1 **이야기에 나오는 계절에 알맞은 것을 고르세요. (　　　)**

①  ②  ③  ④ 

2 **형이 아우의 논에 볏단을 가져다 놓은 까닭을 고르세요. (　　　)**

① 아우네 식구가 형네 식구보다 많아서

② 아우가 장가간 지 얼마 안 되어 필요한 게 많아서

3 **빈칸에 들어갈 말을 글에서 쓰세요.**

가을이 되어 벼가 누렇게 익었어요. 형과 아우는 각자의 논에서 벼를 거두어들이는 '□□'를 했어요. 그리고 각자 자신의 볏단을 서로에게 양보하며 수확의 기쁨을 두 배로 누렸어요.

어휘 익히기

4 다음 낱말의 알맞은 뜻을 찾아 선으로 이으세요.

(1) 풍년 •   • ① 형제 또는 친구 사이의 정과 사랑.

(2) 우애 •   • ② 심어서 가꾼 농작물을 거두어들임.

(3) 수확 •   • ③ 농사가 잘되어 다른 때보다 수확이 많은 해.

5 다음 그림을 보고, 빈칸에 들어갈 낱말을 보기 에서 찾아 쓰세요.

보기

볏단

논두렁

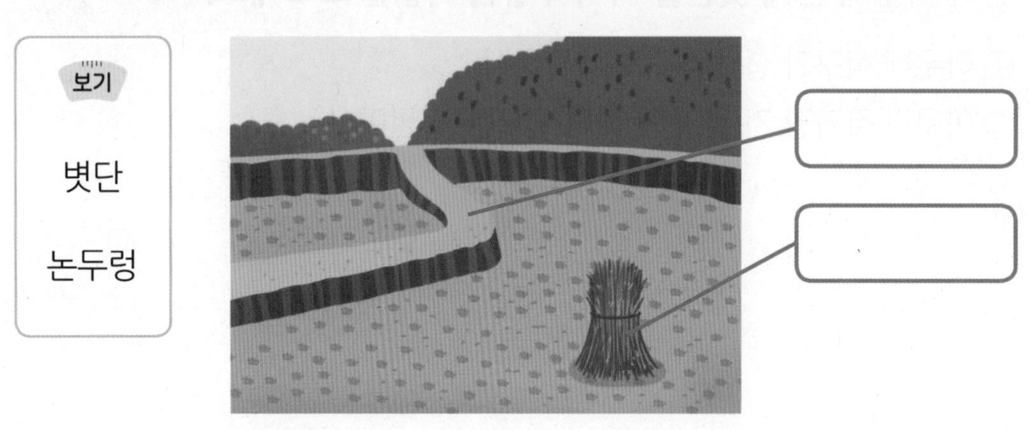

6 빈칸에 공통으로 들어갈 낱말을 쓰세요.

- 벼가 누렇게 익은 걸 보니 ㅊ ㅅ 할 때가 되었어.
- 가을에 곡식을 거두어들이는 것을 'ㅊ ㅅ'라고 합니다.

맞춤법 · 받아쓰기

정답과 해설 17쪽

7 **다음 문장에 들어갈 바른 낱말에 ○표 하세요.**

(1) 추수를 마친 논에 {벼단 / 볏단}이 여기저기 쌓여 있어요.

(2) {어제밤 / 어젯밤}에 하늘을 나는 꿈을 꾸었어요.

8 **밑줄 친 낱말을 바르게 고쳐 쓰세요.**

(1) 이걷저걷 할 일이 많아요.

→ 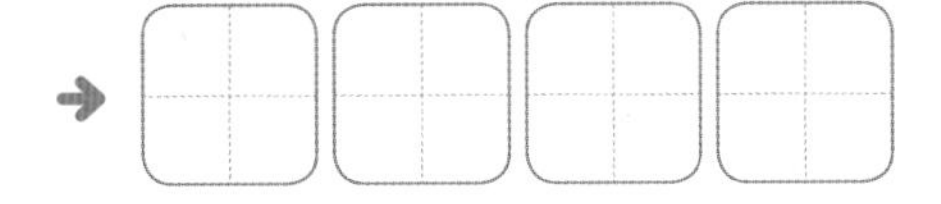

(2) 캄캄한 밤쭝에 혼자 돌아다니면 위험해요.

→ 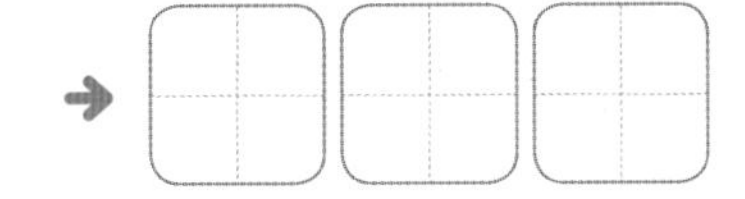

9 **들려주는 말을 잘 듣고 띄어쓰기에 유의하여 받아쓰세요.**

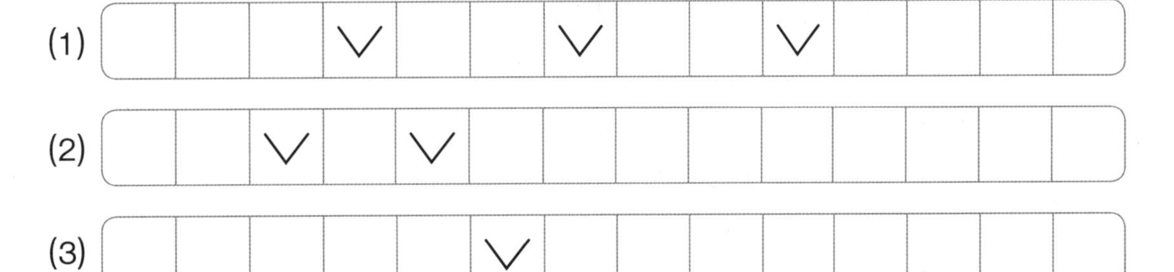

QR코드를 찍어 낱말 게임을 해 보세요.

Day 30

한자 어휘

차도(車道)

● 車(차)는 '수레, 차, 바퀴' 등을 뜻해요.

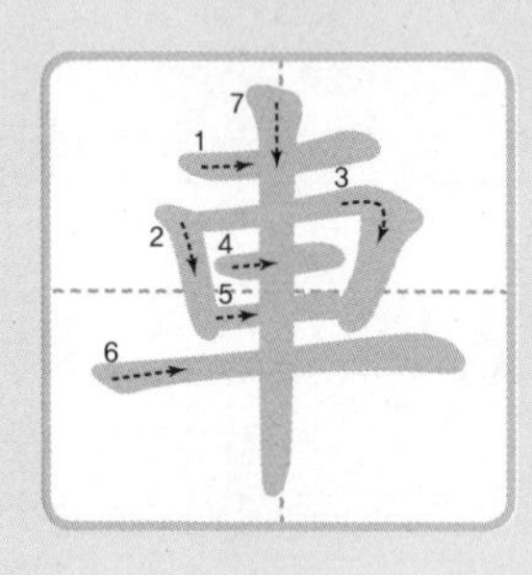

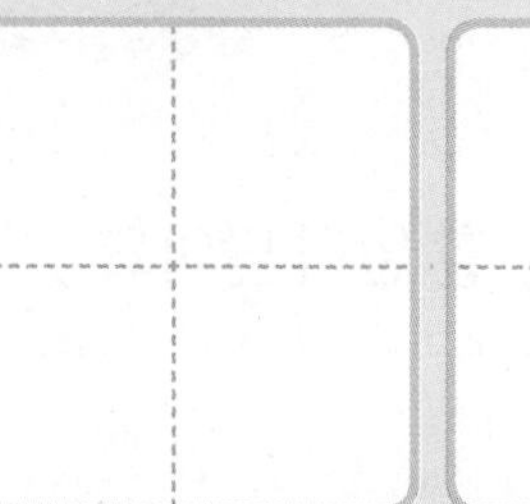

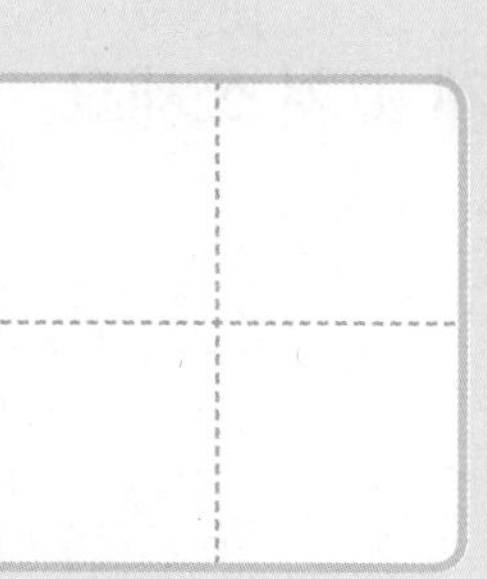

車(차/거)가 들어간 다음 어휘 중에서 아는 것에 ✓ 표시를 해 보세요.

□ 주차장 □ 세차장 □ 자전거

주	차	장	
머무를 駐	수레 車	마당 場	뜻 차를 세울 수 있도록 마련한 곳. 예 엄마가 주차장에 차를 댔어요.

세	차	장	
씻을 洗	수레 車	마당 場	뜻 차를 씻을 수 있도록 시설을 갖추어 놓은 곳. 예 주유소 옆에는 보통 세차장이 있어요.

자	전	거	
스스로 自	구를 轉	수레 車	뜻 사람이 올라타고 두 발로 발판을 밟아 바퀴를 굴려서 나아가는 탈것. 예 아빠가 생일 선물로 자전거를 사 주셨어요.

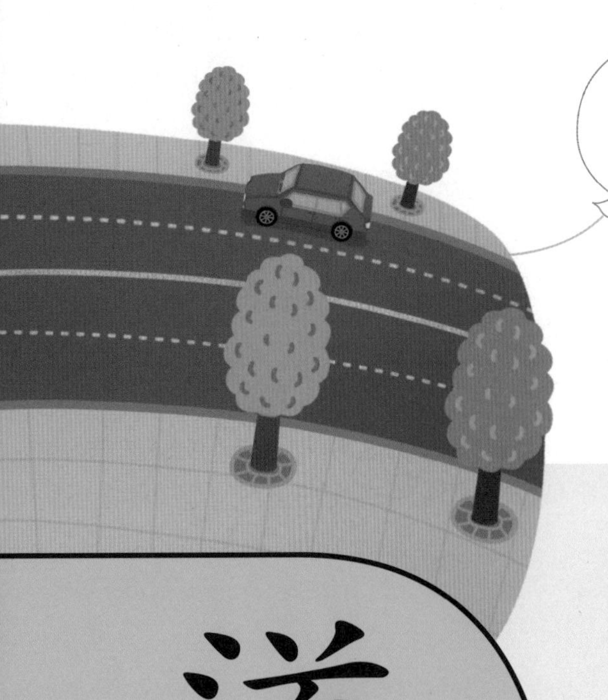

'차도'는 차가 다니는 길을 말해요.

공부한 날 월 일

道

길 도

● 道(도)는 '길, 도리' 등을 뜻해요.

머리를 앞으로 향하게 하고 나아가는 모습에서 만들어진 글자예요.

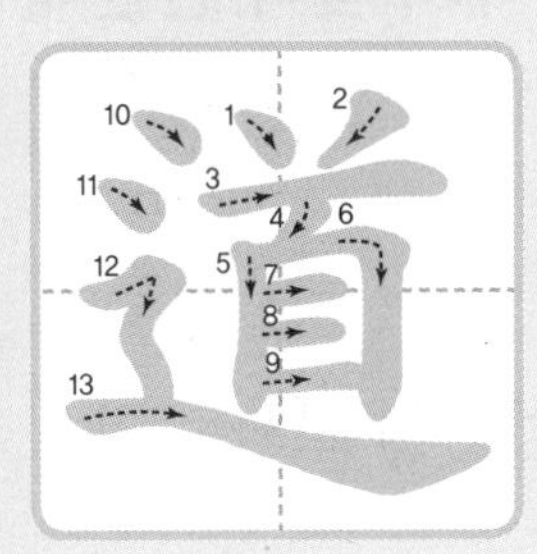

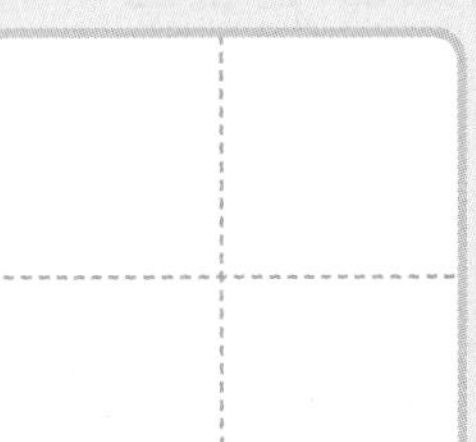

道(도)가 들어간 다음 어휘 중에서 아는 것에 ✓ 표시를 해 보세요.

- [ ] 도로
- [ ] 복도
- [ ] 효도

도로 (길 道 / 길 路)

뜻 사람이나 차가 잘 다닐 수 있도록 만들어 놓은 길.

예 도로가 공사 중이에요.

복도 (겹칠 複 / 길 道)

뜻 건물 안에서 여러 방으로 통하게 만들어 놓은 길.

예 학교 복도에서 오른쪽으로 걸어 다녀야 해요.

효도 (효도 孝 / 길 道)

뜻 부모를 정성껏 잘 모시는 일.

예 부모님 말씀을 잘 듣는 것이 최고의 효도예요.

1 다음 그림에 알맞은 한자와 음을 선으로 이으세요.

(1)  •　　　　•① 道 •　　　　•㉮ 차

(2)  •　　　　•② 車 •　　　　•㉯ 도

2 다음 뜻에 알맞은 낱말을 보기 에서 찾아 빈칸에 쓰세요.

보기	도로	복도	효도	세차장

(1) [　　　　] : 부모를 정성껏 잘 모시는 일.

(2) [　　　　] : 차를 씻을 수 있도록 시설을 갖추어 놓은 곳.

(3) [　　　　] : 사람이나 차가 잘 다닐 수 있도록 만들어 놓은 길.

(4) [　　　　] : 건물 안에서 여러 방으로 통하게 만들어 놓은 길.

3 다음 글의 [　　] 안에서 알맞은 낱말을 골라 ○표 하세요.

우리 가족은 지난 여름에 작은 섬에 갔다. 섬에 가는 배가 너무 작아서 배에 차를 실을 수 없었다. 그래서 우리는 차를 (1) [주차장 / 세차장] 에 세우고 배를 탔다. 섬에서 우리 가족은 전기 (2) [기차 / 자전거] 를 빌려서 타고 다녔다.

무슨 낱말일까요?

4 다음 빈칸에 '차(車)'와 '도(道)' 가운데에서 알맞은 글자를 쓰세요.

어린이 교통 안전

(1) 횡 단 보 ☐ 를 건널 때에는 자전거를 타지 않고 내려서 끌고 가야 해요.

사람이 건너다닐 수 있도록 차도 위에 표시해 놓은 길.

(2) 주 ☐ 되어 있는 자동차 사이로 뛰어다니면 안 돼요.

자동차 등을 일정한 곳에 세움.

(3) ☐ 로 주변에서는 공을 차지 않고 들고 다녀야 해요.

자동차가 다니는 길.

QR코드를 찍어 낱말 게임을 해 보세요.

맞은 개수 ______ /4개

스스로 붙임딱지

6주차 | 복습

정답과 해설 18쪽

다음 뜻에 알맞은 낱말을 퍼즐판에서 찾고 빈칸에 쓰세요.

세	차	장		
도	로	대	풍	우
		접	년	렁
느	긋	하	다	차
	묵	다		다

(1) 대 □ □ □ : 손님으로 맞아 음식을 차려 주다.

(2) □ 렁 □ □ : 소리의 울림이 매우 크고 힘차다.

(3) □ 다 : 어디에서 손님으로 머무르다.

(4) 느 □ □ □ : 서두르지 않고 마음의 여유가 있다.

(5) □ 년 : 농사가 잘되어 다른 때보다 수확이 많은 해.

(6) □ 차 □ : 자동차를 씻을 수 있도록 시설을 갖추어 놓은 곳.

(7) 도 □ : 사람이나 차가 잘 다닐 수 있도록 만들어 놓은 길.

알고 있는 어휘는
글에서 어떻게 쓰였는지 확인하고,
모르는 어휘는 글을 읽으며
재미있게 익혀 보아요!

뜻을 알고 있는 어휘에 ✓표 해 보세요.

	배울 내용	배울 어휘	공부한 날
Day 31	속담 돌다리도 두들겨 보고 건너라	□ 사냥하다 □ 궁리하다 □ 꼼짝하다 □ 냉큼	월 일
Day 32	관용어 속이 시원하다	□ 완성하다 □ 퍼지다 □ 귀담아듣다 □ 다스리다	월 일
Day 33	한자 성어 우왕좌왕(右往左往)	□ 산책하다 □ 좌우 □ 정원 □ 몸집 □ 통과하다	월 일
Day 34	교과 어휘 우리나라의 상징	□ 독립 □ 상징하다 □ 평화롭다 □ 조상 □ 한결같다	월 일
Day 35	한자 어휘 동물(動物)	□ 동작 □ 행동 □ 자동 □ 물건 □ 생물 □ 인물	월 일

Day 31

속담

돌다리도 두들겨 보고 건너라

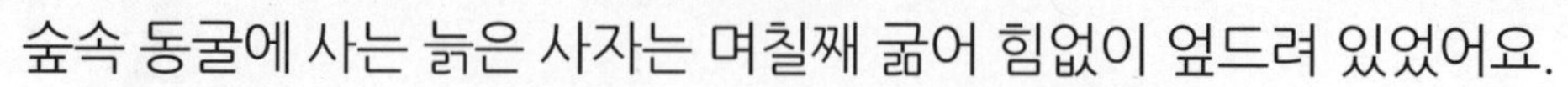

아는 어휘에 ✔ 표시를 해 보고, 어휘의 뜻을 생각하며 글을 읽어 보세요.

☐ 사냥하다 ☐ 궁리하다 ☐ 꼼짝하다 ☐ 냉큼

공부한 날

월 일

❶ **사냥하지**: 약한 짐승을 먹잇감으로 잡지.

❷ **궁리해**: 문제를 해결할 방법을 깊이 생각해.

❸ **꼼짝할**: 몸을 느리게 조금씩 움직일.

❹ **헛소문**: 널리 퍼진 근거 없는 말.

❺ **병문안**: 아픈 사람을 찾아가 위로하는 일.

❻ **냉큼**: 머뭇거리지 않고 빨리.

❼ **돌다리도 두들겨 보고 건너라**: 잘 알거나 확실해 보이는 일이라도 한 번 더 점검하고 주의해라.

숲속 동굴에 사는 늙은 사자는 며칠째 굶어 힘없이 엎드려 있었어요.

"[1]**사냥하지** 않고 먹이를 구하는 방법이 있을 거야."

사자는 이리저리 [2]**궁리해** 보았어요.

"하하하! 좋은 방법이 생각났어. 이제 곧 먹이를 많이 먹을 수 있겠어."

사자는 큰 병에 걸려서 [3]**꼼짝할** 수 없다고 [4]**헛소문**을 퍼뜨렸어요. 그러자 가장 먼저 토끼가 [5]**병문안**을 왔어요.

"사자님, 큰 병에 걸리셨다고요?"

"아이고, 아파. 콜록콜록! 내 곁으로 와서 나를 좀 일으켜 줘."

토끼가 사자 곁으로 다가가자 사자는 토끼를 [6]**냉큼** 잡아먹었어요. 그리고 나서 드릉드릉 코를 골며 낮잠을 잤어요.

사자는 병문안을 오는 동물들 덕분에 매일 배부르게 지냈어요.

어느 날, 여우가 동굴 밖에서 인사를 했어요.

"사자님, 몸은 좀 어떠신가요?"

"아이고, 콜록콜록! 아프지 않은 곳이 없어. 내 곁에서 날 좀 일으켜 줘."

"저도 사자님을 일으켜 드리고 싶어요. 하지만 '[7]**돌다리도 두들겨 보고 건너라**'는 말이 있지요. 동굴 속으로 들어간 동물 발자국은 있는데 밖으로 나온 발자국은 하나도 없네요."

조심성 있는 여우는 서둘러 집으로 돌아갔어요.

내용 이해하기

1 사자가 퍼뜨린 헛소문의 내용으로 알맞은 것을 고르세요. (　　　)

① 사자가 큰 병에 걸려서 꼼짝할 수 없어요.
② 사냥하지 않고 먹이를 구하는 방법이 있어요.
③ 동물들이 병문안을 와서 사자를 보살펴 주어요.

정답과 해설 18쪽

2 여우가 다음 말을 하며 어떤 생각을 했는지 알맞은 것을 고르세요. (　　　)

> "동굴 속으로 들어간 동물 발자국은 있는데 밖으로 나온 발자국은 하나도 없네요."

① 빨리 사자를 일으켜 주어야겠어.
② 사자에게 감기약을 가져다주어야겠어.
③ 사자의 말을 무조건 믿지 말고 조심해야겠어.

3 빈칸에 들어갈 낱말을 글에서 찾아 쓰세요.

> 여우는 동굴 속으로 들어간 동물 발자국은 있는데 밖으로 나온 발자국이 없는 것을 보고 사자의 동굴에 들어가지 않았어요. 여우는 '□□□도 두들겨 보고 건너라'라는 말대로 조심성 있게 행동했어요.

어휘 익히기

4 **다음 낱말의 알맞은 뜻을 찾아 선으로 이으세요.**

(1) 사냥하다 •   • ① 몸을 느리게 조금씩 움직이다.

(2) 궁리하다 •   • ② 약한 짐승을 먹잇감으로 잡다.

(3) 꼼짝하다 •   • ③ 문제를 해결할 방법을 깊이 생각하다.

5 **밑줄 친 낱말과 바꾸어 쓸 수 있는 낱말을 빈칸에 쓰세요.**

동생이 만화 영화에 한눈을 파는 사이에 현아는 <u>얼른</u> 만두를 먹어 버렸어요.
↳ 시간을 오래 끌지 않고 바로.

→ 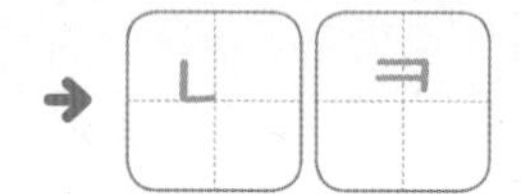

6 **다음 그림을 보고, 빈칸에 들어갈 말을 고르세요. (　　　)**

돌다리도 □□□ 보고 건너라

① 퍼뜨려　　② 일으켜　　③ 두들겨

정답과 해설 18쪽

7 **다음 문장에 들어갈 바른 낱말에 ○표 하세요.**

(1) 졸려서 {낫잠 / 낮잠}을 잤어요.

(2) 친구에게 할 말이 {생각낫어요 / 생각났어요}.

8 **밑줄 친 낱말을 바르게 고쳐 쓰세요.**

(1) 동생이 책상에 <u>업드려</u> 있어요.

→ 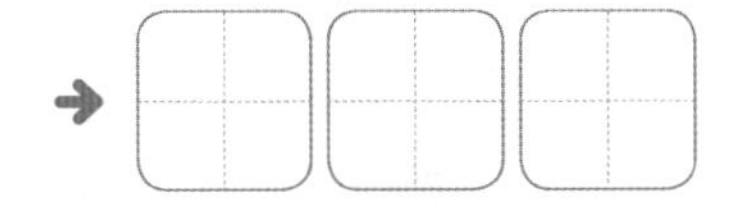

(2) 짝꿍이 <u>헛쏘문</u>을 내서 어쩔 줄 몰랐어요.

→ 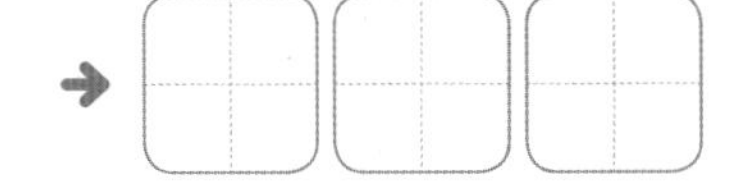

1단계 31 받아쓰기

9 **들려주는 말을 잘 듣고 띄어쓰기에 유의하여 받아쓰세요.**

(1)

(2)

(3)

QR코드를 찍어 낱말 게임을 해 보세요.

1단계 31 낱말 게임

맞은 개수 ______ /9개

Day 32

관용어

속이 시원하다

아는 어휘에 ✔ 표시를 해 보고, 어휘의 뜻을 생각하며 글을 읽어 보세요.

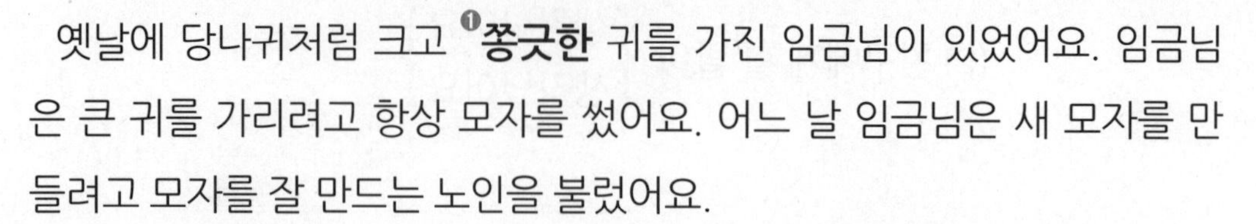

☐ 완성하다 ☐ 퍼지다 ☐ 귀담아듣다 ☐ 다스리다

공부한 날

월 일

❶ **쫑긋한**: 입술이나 귀가 빳빳하게 세워져 있거나 뾰족하게 내밀어져 있는.

❷ **완성하자**: 완전하게 다 이루자.

❸ **속이 시원했어요**: 그동안 신경이 쓰였던 일이 해결되어 마음이 홀가분했어요.

❹ **퍼졌어요**: 어떤 것이 넓은 범위까지 미쳤어요.

❺ **귀담아들어**: 주의하여 잘 들어.

❻ **다스리는**: 나라의 일이나 백성을 살피고 관리하는.

옛날에 당나귀처럼 크고 ❶**쫑긋한** 귀를 가진 임금님이 있었어요. 임금님은 큰 귀를 가리려고 항상 모자를 썼어요. 어느 날 임금님은 새 모자를 만들려고 모자를 잘 만드는 노인을 불렀어요.

'아니, 이럴 수가! 임금님 귀가 이렇게나 크고 쫑긋하다니!'

노인은 깜짝 놀랐어요.

노인이 모자를 ❷**완성하자**, 임금님은 노인에게 말했어요.

"내 귀가 당나귀 귀라는 것을 꼭 비밀로 해 주게."

노인은 임금님의 비밀을 말하고 싶었지만 누구에게도 말할 수 없었어요.

그렇게 여러 날이 지났어요. 노인은 답답하고 힘들어서 병이 나고 말았어요. 노인은 더 이상 참을 수 없어서 뒷산 대나무 숲에 가서 힘껏 소리쳤어요.

"임금님 귀는 당나귀 귀! 임금님 귀는 당나귀 귀!"

마침내 하고 싶은 말을 한 노인은 ❸**속이 시원했어요**.

다음 날부터 이상한 일이 벌어졌어요. 바람이 불 때마다 대나무 숲에서 '임금님 귀는 당나귀 귀!'라는 소리가 났어요. 그 소리는 메아리가 되어 온 나라로 ❹**퍼졌어요**. 백성들은 임금님이 귀가 커서 자신들의 말을 ❺**귀담아들어** 주실 거라며 칭찬했어요.

임금님은 더 이상 자신의 큰 귀를 숨기지 않았어요. 그리고 나라를 잘 ❻**다스리는** 훌륭한 임금님이 되었답니다.

내용 이해하기

1 임금님의 모습으로 알맞은 것을 고르세요. (   )

① 

② 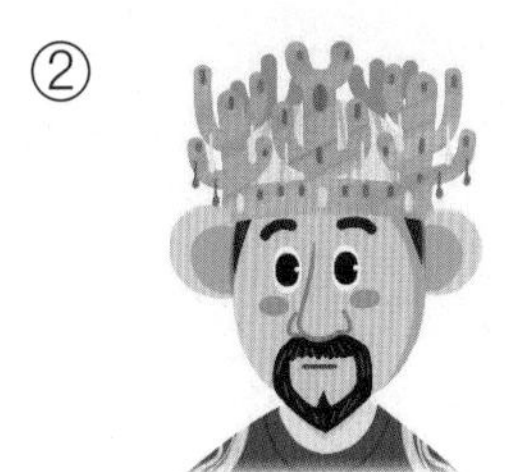

③ 

정답과 해설 19쪽

2 임금님의 비밀을 말할 수 없었던 노인의 마음으로 알맞은 것을 고르세요. (   )

① 기뻐요 ② 신나요 ③ 답답해요

3 빈칸에 들어갈 낱말을 글에서 찾아 쓰세요.

노인은 임금님의 비밀을 말하지 못해 병이 났어요. 그래서 노인은 대나무 숲에 가서 "임금님 귀는 당나귀 귀!"라고 소리쳤어요. 마침내 하고 싶은 말을 한 노인은 [ ]이 시원했어요.

어휘 익히기

4 **다음 낱말의 알맞은 뜻을 찾아 선으로 이으세요.**

(1) 퍼지다 • 　　　　 • ① 주의하여 잘 듣다.

(2) 다스리다 • 　　　　 • ② 어떤 것이 넓은 범위까지 미치다.

(3) 귀담아듣다 • 　　　　 • ③ 나라의 일이나 백성을 살피고 관리하다.

5 **다음 낱말에 어울리는 그림을 고르세요. (　　　)**

완성하다

①

②

③

6 **다음 빈칸에 들어갈 말을 고르세요. (　　　)**

3 **월** 10 **일** **날씨** 맑음

어제 오빠 장난감을 망가뜨리고 말았다. 다행히 오빠는 눈치채지 못했다. 하지만 나는 마음이 너무 불편했다. 그래서 오늘 오빠에게 사실대로 이야기했다. 그래서 이제는 (　　　　　　)!

① 속이 탄다　　② 속이 아프다　　③ 속이 시원하다

맞춤법 · 받아쓰기

정답과 해설 19쪽

7 **다음 문장에 들어갈 바른 낱말에 ○표 하세요.**

(1) 친구들은 산 위에서 { 힘껏 / 힘껄 } 소리쳤어요.

(2) 토끼는 크고 { 쫑긋한 / 쫑그탄 } 두 귀를 가지고 있어요.

8 **밑줄 친 낱말을 바르게 고쳐 쓰세요.**

(1) 손이 <u>이러케나</u> 크다니!

→ 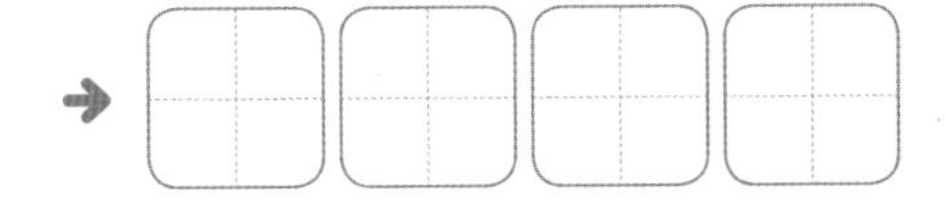

(2) 세종 대왕은 <u>훌늉한</u> 임금님이었어요.

→ 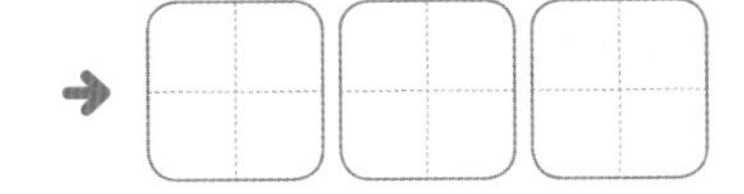

9 **들려주는 말을 잘 듣고 띄어쓰기에 유의하여 받아쓰세요.**

(1)

(2)

(3) 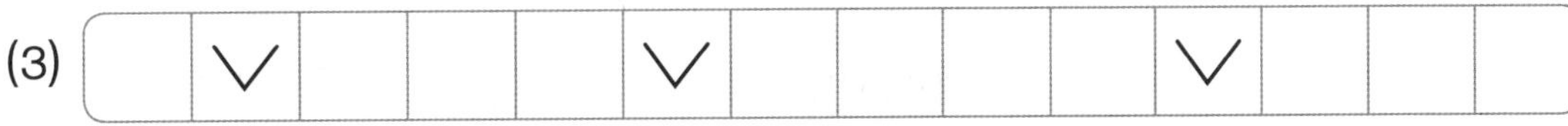

QR코드를 찍어
낱말 게임을
해 보세요.

맞은 개수 ______ /9개

Day 33

한자 성어

우왕좌왕(右오른쪽 우 往갈 왕 左왼쪽 좌 往갈 왕)

아는 어휘에 ✓ 표시를 해 보고, 어휘의 뜻을 생각하며 글을 읽어 보세요.

□ 산책하다 □ 좌우 □ 정원 □ 몸집 □ 통과하다

공부한 날

월 일

❶ **산책했어요**: 잠깐 쉬거나 건강을 위해서 주변을 천천히 걸었어요.

❷ **차려입은**: 잘 갖추어 입은.

❸ **좌우**: 왼쪽과 오른쪽.

❹ **우왕좌왕**: 방향을 정하지 못하고 이쪽저쪽으로 왔다 갔다 함.

❺ **정원**: 집 안에 있는 뜰이나 꽃밭.

❻ **몸집**: 몸의 크기나 부피.

❼ **통과할**: 어떤 장소나 때를 거쳐서 지나갈.

어느 화창한 날 앨리스와 언니는 공원을 ❶**산책했어요**. 그때 멋지게 옷을 ❷**차려입은** 토끼가 시계를 보면서 바쁘게 뛰어갔어요.

"늦었어, 늦었어!"

"토끼가 말을 하다니! 정말 신기한데?"

앨리스는 토끼를 따라 나무 구멍으로 들어갔어요. 앨리스는 구멍으로 들어가자마자 계속 아래로 떨어졌어요.

마침내 앨리스는 ❸**좌우**로 잠긴 문이 많이 있는 긴 복도에 떨어졌어요. 앨리스는 어디로 가야 할지 몰라 ❹**우왕좌왕**했어요.

그때 앨리스는 탁자 위에서 열쇠를 발견했고, 열쇠로 이 문 저 문을 열어 보았어요. 마침내 아주 작은 문이 열렸어요. 그 문 밖에는 아름다운 ❺**정원**이 있었어요. 하지만 앨리스의 ❻**몸집**으로는 문을 ❼**통과할** 수 없었어요.

앨리스는 탁자 위에서 '이것을 마셔.'라고 쓰인 작은 물병을 발견했고, 물병의 물을 마시자 신기하게도 몸집이 줄어들었어요. 이제 앨리스는 문밖으로 나갈 수 있게 되었어요.

그런데 이번에는 탁자가 너무 높아서 열쇠를 집을 수가 없었어요. 앨리스가 이리저리 왔다 갔다 하다 탁자 아래에서 '이것을 먹어.'라고 쓰여 있는 케이크를 발견했어요. 앨리스가 케이크를 먹자 신기하게도 몸집이 다시 커졌어요.

이 모든 일은 앨리스의 꿈이었어요. 앨리스는 언니의 무릎을 베고 잠이 들었고, 꿈에서 이상한 나라에 다녀온 것이었답니다.

내용 이해하기

1 이야기의 내용으로 맞는 것에 ○표, 맞지 않는 것에 X표 하세요.

(1) 앨리스는 언니와 함께 공원을 산책했어요. ( )

(2) 앨리스는 꽃을 들고 있는 토끼를 보았어요. ( )

(3) 앨리스는 말을 하는 토끼를 보고 신기해했어요. ( )

정답과 해설 19쪽

2 앨리스가 한 일과 일어난 일을 선으로 이으세요.

(1) 물병의 물을 마셨어요. • • ① 몸집이 커졌어요.

(2) 케이크를 먹었어요. • • ② 몸집이 줄어들었어요.

3 빈칸에 공통으로 들어갈 말을 글에서 찾아 쓰세요.

앨리스는 좌우로 잠긴 문이 많이 있는 긴 복도에 떨어졌고, 어디로 가야 할지 몰라 □□□□했어요. □□□□은 앨리스처럼 이리저리 왔다 갔다 하며 방향을 정하지 못할 때 쓰는 말이에요.

어휘 익히기

4 **다음 낱말의 알맞은 뜻을 찾아 선으로 이으세요.**

(1) 산책하다 • • ① 어떤 장소나 때를 거쳐서 지나가다.

(2) 통과하다 • • ② 잠깐 쉬거나 건강을 위해서 주변을 천천히 걷다.

5 **빈칸에 들어갈 낱말을 보기 에서 찾아 쓰세요.**

보기	몸집	정원	좌우

(1) □□에 예쁜 꽃이 피었어요.
↳ 집 안에 있는 뜰이나 꽃밭.

(2) 병수는 우리 반에서 □□이 가장 커요.
↳ 몸의 크기나 부피.

(3) 이 골목 끝에는 □□로 갈라진 길이 나와요.
↳ 왼쪽과 오른쪽.

6 **다음 상황에 알맞은 한자 성어를 고르세요. (　　　)**

① 동문서답　　② 우왕좌왕　　③ 다다익선

7 다음 문장에 들어갈 바른 낱말에 ○표 하세요.

(1) 아빠가 { 열쇠 / 열쐬 } 로 자동차 문을 열었어요.

(2) 곰은 { 몸집 / 몸찝 } 이 매우 커요.

정답과 해설 19쪽

8 밑줄 친 낱말을 바르게 고쳐 쓰세요.

(1) 컵이 바닥에 <u>떠러졌어요</u>.

→ 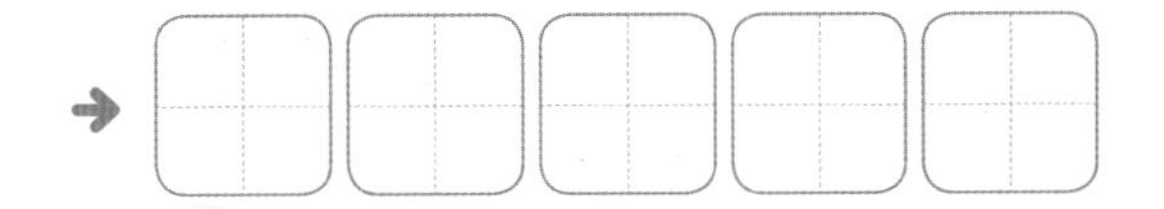

(2) 다리가 너무 <u>노파서</u> 건너기가 무서워요.

→ 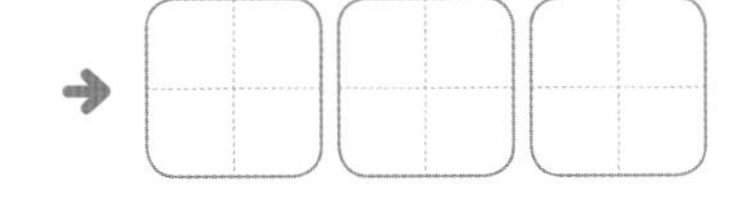

9 들려주는 말을 잘 듣고 띄어쓰기에 유의하여 받아쓰세요.

(1) 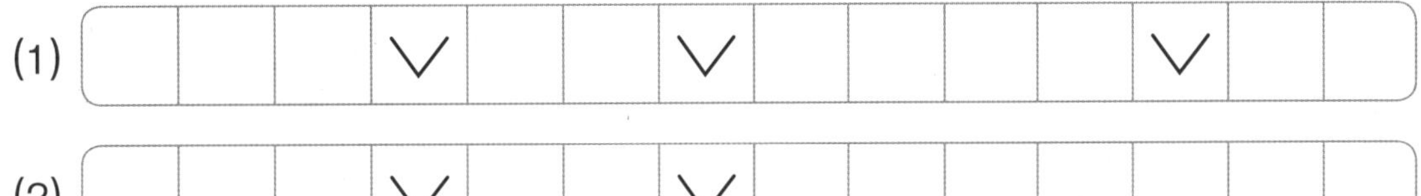

(2) 

(3) 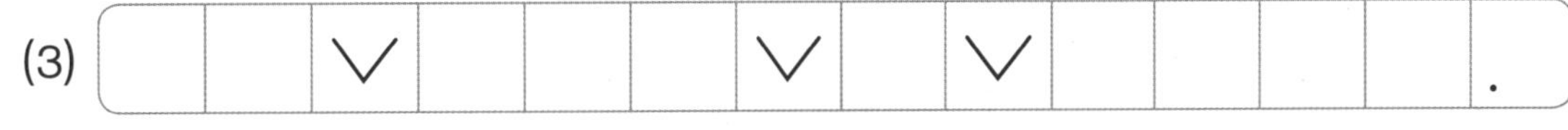

QR코드를 찍어 낱말 게임을 해 보세요.

Day 34

교과 어휘

우리나라의 상징

1단계 34 지문 듣기

아는 어휘에 ✔ 표시를 해 보고, 어휘의 뜻을 생각하며 글을 읽어 보세요.

☐ 독립 ☐ 상징하다 ☐ 평화롭다 ☐ 조상 ☐ 한결같다

공부한 날

월 일

❶ **독립**: 한 나라가 완전한 주권을 가짐.

❷ **방방곡곡**: 모든 곳.

❸ **민족**: 오랫동안 일정한 지역에서 함께 생활하면서 고유한 언어, 문화, 역사를 이룬 사람들의 집단.

❹ **상징하는**: 추상적인 개념이나 사물을 구체적인 사물로 나타내는.

❺ **평화롭게**: 걱정이나 탈이 없이 조용하고 화목한 듯하게.

❻ **조상**: 자신이 살고 있는 세대 이전의 모든 세대.

❼ **영원한**: 어떤 현상이나 모양 등이 끝없이 이어지는 상태인.

❽ **한결같은**: 처음부터 끝까지 변함없이 똑같은.

"대한 ❶**독립** 만세!"

1919년 3월 1일에 우리나라 ❷**방방곡곡**에서 태극기가 휘날렸어요. 그때 일본은 우리 ❸**민족**을 강제로 지배했어요. 사람들이 일본의 지배에서 벗어나려고 '대한 독립 만세'를 외칠 때 태극기를 꺼내 들었어요. 태극기가 우리나라를 ❹**상징하는** 국기이기 때문이었지요.

태극기의 흰 바탕은 밝음과 순수, 평화를 사랑하는 우리 민족을 뜻해요. 가운데의 태극 문양은 모든 것들이 서로 어울리는 것을 나타내요. 태극을 둘러싼 네 개의 괘는 하늘, 땅, 물, 불을 뜻해요. 태극기에는 우리나라 사람들이 ❺**평화롭게** 살아가기를 바라는 마음이 담겨 있어요.

우리나라를 상징하는 꽃은 무궁화예요. 무궁화는 어디에서나 잘 자라는 꽃으로 어려움을 이겨 낸 우리 민족을 상징해요. 또 석 달 동안 매일 새로운 꽃을 피우는 특성이 우리 ❻**조상**의 부지런함을 닮았어요.

우리나라를 상징하는 노래는 애국가예요. 애국가 가사는 ❼**영원한** 발전, 변하지 않는 마음, ❽**한결같은** 꿈과 희망, 나라 사랑을 담고 있어요.

우리는 태극기와 무궁화를 소중하게 다루어야 해요. 애국가를 부를 때에는 나라를 사랑하는 마음을 담아 불러야 해요. **우리나라의 상징**을 소중히 여기는 것은 우리나라를 소중히 여기는 것과 같기 때문이에요.

내용 이해하기

1 **다음은 사람들이 1919년 3월 1일에 '대한 독립 만세'를 외칠 때 태극기를 든 까닭입니다. 빈칸에 들어갈 말을 글에서 찾아 쓰세요.**

태극기가 우리나라를 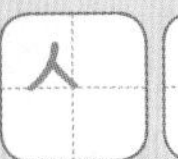  하는 국기이기 때문이에요.

정답과 해설 20쪽

2 **태극기 각 부분의 이름과 그것이 상징하는 것을 글에서 찾아 쓰세요.**

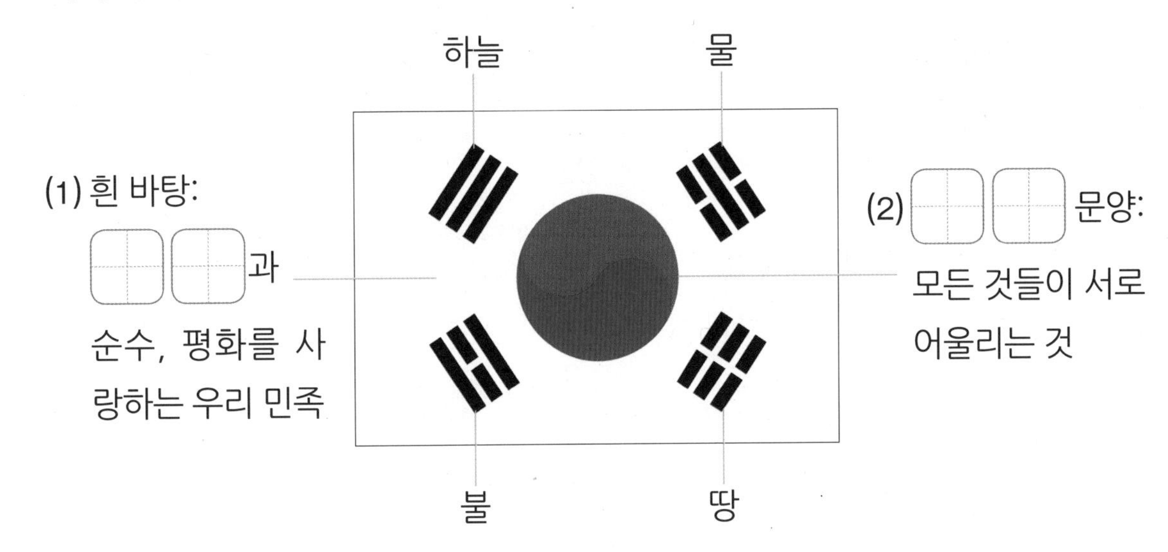

3 **빈칸에 들어갈 말을 글에서 찾아 쓰세요.**

태극기, 무궁화, 애국가는 (1) ☐☐☐☐ 의 (2) ☐☐ 이에요.
이것들을 소중히 여기는 것은 우리나라를 소중히 여기는 것과 같아요.

어휘 익히기

4 **다음 뜻에 알맞은 낱말을 보기 에서 찾아 빈칸에 쓰세요.**

보기	독립	상징	조상

(1) ☐☐ : 자신이 살고 있는 세대 이전의 모든 세대.

(2) ☐☐ : 추상적인 사물이나 개념을 구체적인 사물로 나타냄.

(3) ☐☐ : 한 나라가 완전한 주권을 가짐.

5 **빈칸에 들어갈 낱말을 보기 에서 찾아 쓰세요.**

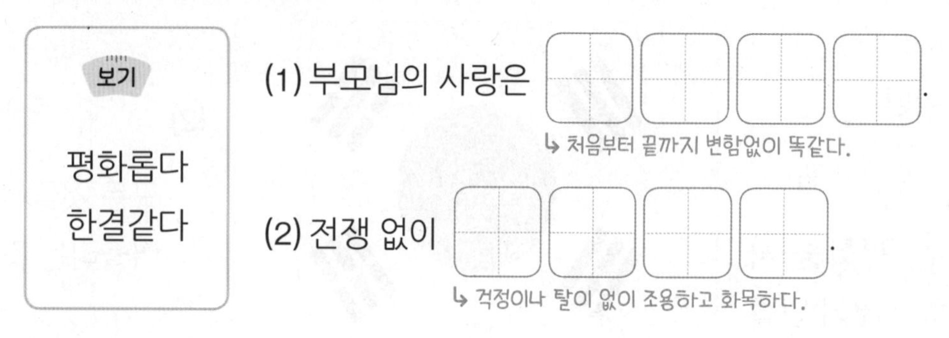

6 **다음 빈칸에 들어갈 낱말을 쓰세요.**

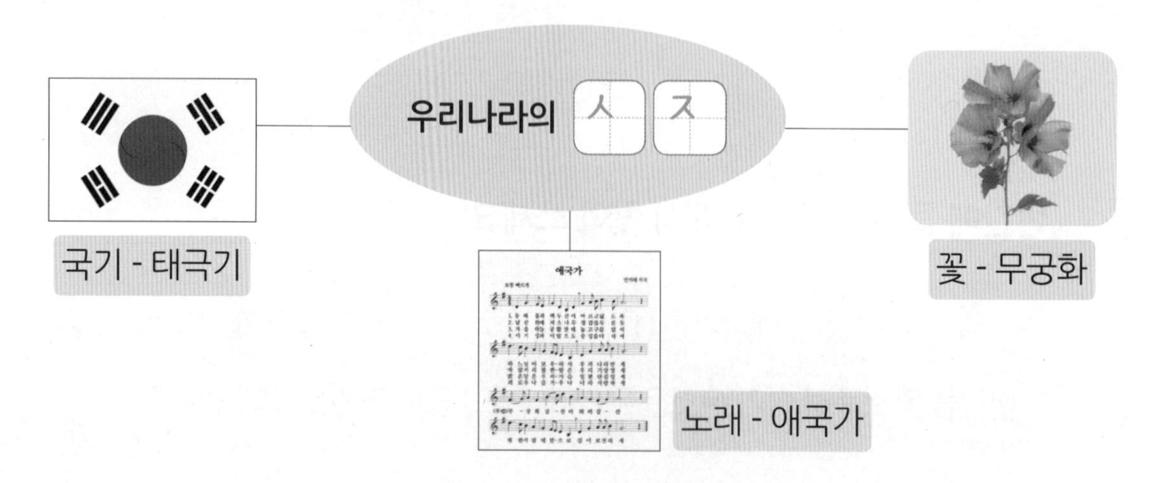

7 **띄어쓰기가 바른 것에 ○표 하세요.**

(1) {우리나라 / 우리 나라}의 국기는 태극기예요.

(2) 무궁화는 {우리조상 / 우리 조상}의 부지런함을 닮았어요.

정답과 해설 20쪽

8 **밑줄 친 낱말을 바르게 고쳐 쓰세요.**

(1) 태극기의 힌 바탕은 순수를 뜻해요.

→ □

(2) 부모님의 사랑은 영언한 것이에요.

→ □□□

9 **들려주는 말을 잘 듣고 띄어쓰기에 유의하여 받아쓰세요.**

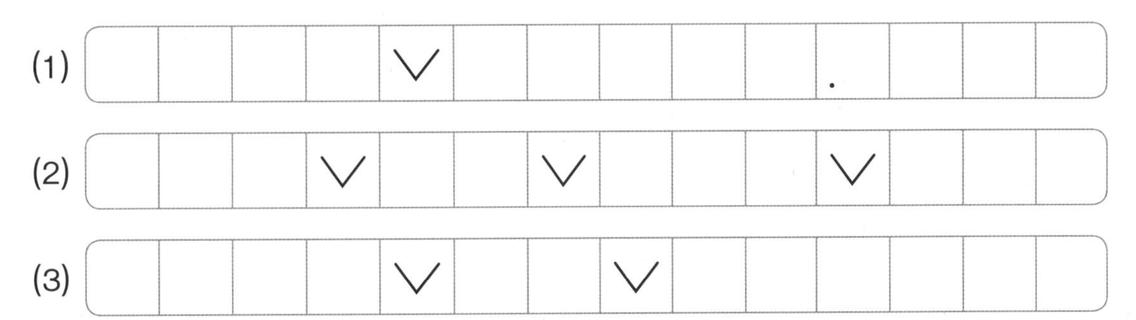
(1)
(2)
(3)

QR코드를 찍어 낱말 게임을 해 보세요.

Day 35

한자 어휘

동물(動物)

● 動(동)은 '움직임'을 뜻해요.

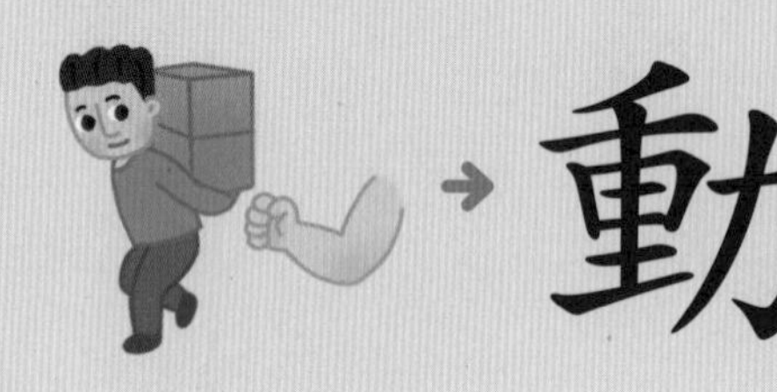

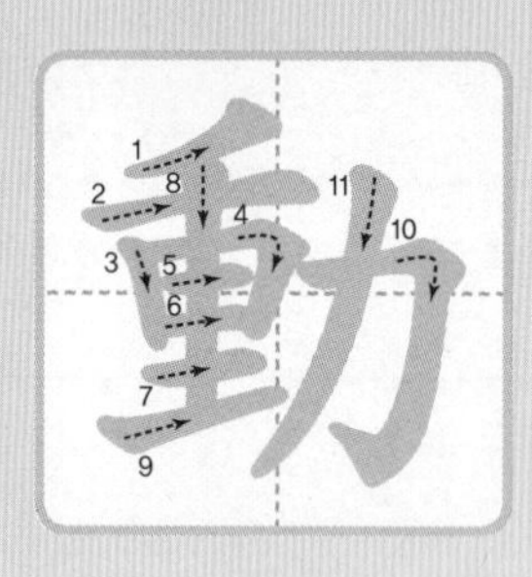

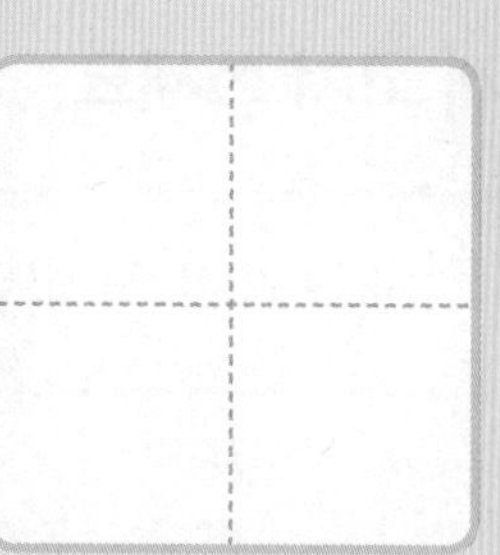

動(동)이 들어간 다음 어휘 중에서 아는 것에 ✓ 표시를 해 보세요.

□ 동작 □ 행동 □ 자동

동 작
움직일 動 지을 作

뜻 몸이나 손발 등을 움직임. 또는 그런 모양.

예 태권도 기본 동작을 연습했어요.

행 동
다닐 行 움직일 動

뜻 몸을 움직여 어떤 일이나 동작을 함.

예 친구 사이에도 조심해야 할 행동이 있어요.

자 동
스스로 自 움직일 動

뜻 기계 등이 일정한 장치에 의해 스스로 작동함.

예 현관문이 열리자 현관 등이 자동으로 켜졌어요.

공부한 날 월 일

物

물건 물

● 物(물)은 '물건', '종류' 등을 뜻해요.

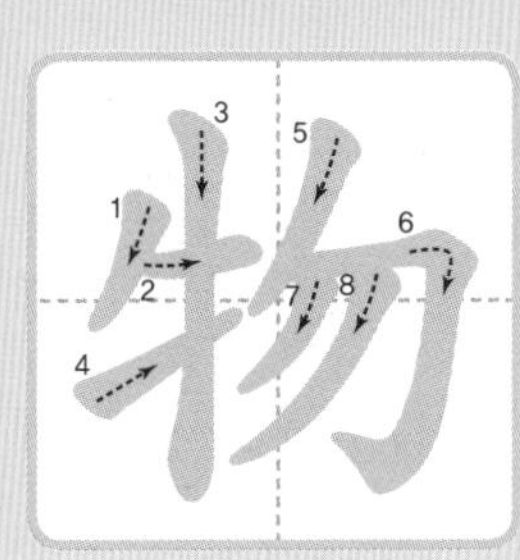

物(물)이 들어간 다음 어휘 중에서 아는 것에 ✓ 표시를 해 보세요.

☐ 물건 ☐ 생물 ☐ 인물

물 건 물건 物 / 물건 件	뜻 일정한 모양을 갖춘 어떤 것. 예 사용한 물건은 제자리에 갖다 두어야 해요.
생 물 날 生 / 물건 物	뜻 생명을 가지고 스스로 살아가는 물체. 예 바다 속에는 다양한 생물이 살고 있어요.
인 물 사람 人 / 물건 物	뜻 사람 그 자체. 뛰어난 사람. 예 저는 세종 대왕처럼 훌륭한 인물이 되고 싶어요.

1 다음 한자에 맞는 음과 뜻을 찾아 선으로 이으세요.

(1) 動 •　　　　• ① 물 •　　　　• ㉮ 물건

(2) 物 •　　　　• ② 동 •　　　　• ㉯ 움직이다

2 다음 낱말의 알맞은 뜻을 찾아 선으로 이으세요.

(1) 자동 •　　　　• ① 사람 그 자체. 뛰어난 사람.

(2) 인물 •　　　　• ② 기계 등이 장치에 의해 스스로 작동함.

(3) 동작 •　　　　• ③ 몸이나 손발 등을 움직임. 또는 그런 모양.

3 빈칸에 들어갈 글자가 나머지와 다른 하나를 고르세요. (　　　)

① 동물과 식물은 모두  생 ☐ 이에요.

↳ 생명을 가지고 스스로 살아가는 물체.

② ☐ 건 을 잃어버리지 않도록 잘 챙겨야 해요.

↳ 일정한 모양을 갖춘 어떤 것.

③ 우리집 강아지는 귀여운 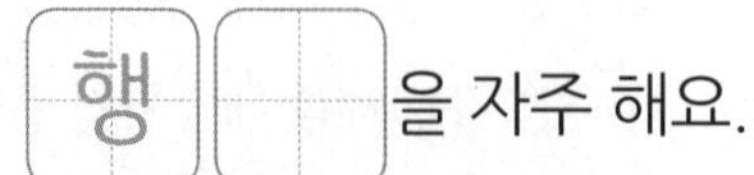 행 ☐ 을 자주 해요.

↳ 몸을 움직여 어떤 일이나 동작을 함.

무슨 낱말일까요?

4 다음 빈칸에 '동(動)'과 '물(物)' 가운데에서 알맞은 글자를 쓰세요.

몸을 튼튼하게 하거나 건강을 위하여 몸을 움직이는 일.

(1) 우리 가족은 매일 함께 운 [ ] 을 해요.

강하게 느껴 마음이 움직임.

(2) 책을 읽고 깊은 감 [ ] 을 받았어요.

動 동 물 物

(3) 유준이는 생일 선 [ ] 을 받았어요.

고마움을 표현하거나 어떤 일을 축하하기 위해 주는 물건.

(4) 내일 만들기 준 비 [ ] 은 고무찰흙이에요.

미리 준비해 두는 물건.

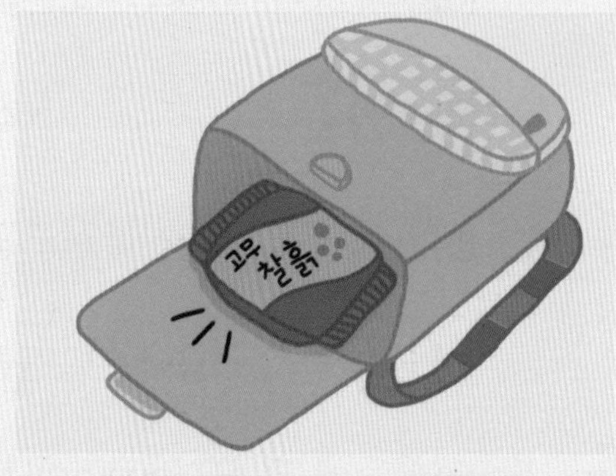

QR코드를 찍어 낱말 게임을 해 보세요.

맞은 개수 ______ /4개

스스로 붙임딱지

정답과 해설 20쪽

다음 뜻에 알맞은 낱말을 퍼즐판에서 찾고 빈칸에 쓰세요.

생	동	작	궁	조
물			리	상
	완	성	하	다
평	화	롭	다	
		좌	우	

(1) □ 리 □ □ : 문제를 해결할 방법을 깊이 생각하다.

(2) 완 □ □ □ : 완전하게 다 이루다.

(3) □ 우 : 왼쪽과 오른쪽.

(4) 평 □ □ □ : 걱정이나 탈이 없이 조용하고 화목한 듯하다.

(5) 조 □ : 자신이 살고 있는 세대 이전의 모든 세대.

(6) 동 □ : 몸나 손발 등을 움직임. 또는 그런 모양.

(7) □ 물 : 생명을 가지고 스스로 살아가는 물체.

알고 있는 어휘는
글에서 어떻게 쓰였는지 확인하고,
모르는 어휘는 글을 읽으며
재미있게 익혀 보아요!

뜻을 알고 있는 어휘에 ✔ 표 해 보세요.

	배울 내용	배울 어휘	공부한 날
Day 36	속담 된성부른 나무는 떡잎부터 알아본다	☐ 이름나다 ☐ 학자 ☐ 뛰어나다 ☐ 장차 ☐ 차지하다	월 일
Day 37	관용어 귀가 얇다	☐ 미련하다 ☐ 터덜터덜 ☐ 또각또각 ☐ 지끈지끈 ☐ 결정하다	월 일
Day 38	한자 성어 막상막하(莫上莫下)	☐ 여기다 ☐ 아궁이 ☐ 절구통 ☐ 대단하다 ☐ 고약하다	월 일
Day 39	교과 어휘 겨울 날씨	☐ 단단히 ☐ 질리다 ☐ 매섭다 ☐ 적당히	월 일
Day 40	한자 어휘 상하(上下)	☐ 상체 ☐ 이상 ☐ 향상 ☐ 하체 ☐ 이하 ☐ 낙하산	월 일

Day 36

속담

될성부른 나무는 떡잎부터 알아본다

아는 어휘에 ✔ 표시를 해 보고, 어휘의 뜻을 생각하며 글을 읽어 보세요.

☐ 이름나다 ☐ 학자 ☐ 뛰어나다 ☐ 장차 ☐ 차지하다

공부한 날

월 일

❶ **이름난**: 세상에 이름이 널리 알려진.

❷ **학자**: 특정 학문을 아주 잘 알거나 연구하는 사람.

❸ **뛰어났고**: 능력 등이 남보다 더 훌륭하거나 우수했고.

❹ **될성부른 나무는 떡잎부터 알아본다**: 잘될 사람은 어려서부터 남달리 장래성이 엿보인다.

❺ **장차**: 앞으로. 미래에.

❻ **남다른**: 보통의 사람과 많이 다른.

❼ **장원**: 옛날에 과거 시험에서 첫째 등급에서 첫째로 뽑힘.

❽ **차지했어요**: 사물, 공간 또는 지위 등을 가졌어요.

조선 시대 ❶**이름난** ❷**학자**인 율곡은 어릴 때부터 글솜씨가 ❸**뛰어났고** 효자였어요. 외할머니가 세 살이 된 율곡에게 석류를 가리키며 무엇처럼 보이는지 물었어요. 율곡은 '빨간 주머니 속에 빨간 구슬이 가득 들어 있구나'라는 시로 대답했어요. 외할머니는 율곡의 대답을 듣고 깜짝 놀랐어요.

'❹**될성부른 나무는 떡잎부터 알아본다**는데, 이 아이가 ❺**장차** 훌륭한 사람이 되겠구나.'

율곡이 다섯 살 때 어머니인 신사임당이 큰 병을 앓았어요. 어린 율곡은 아픈 어머니를 위해 며칠 동안 기도를 드렸어요. 그 모습을 본 사람들은 율곡을 효심이 ❻**남다른** 아이라고 생각했어요. 율곡의 기도 덕분인지 어머니는 얼마 후 병이 나았어요.

그러나 어머니는 율곡이 열여섯 살이 되던 해에 갑자기 돌아가셨어요. 율곡은 슬퍼하며 산속 어머니 무덤가에서 삼 년을 보냈어요. 그 시간 동안 율곡은 친구들이 가져다준 책을 열심히 읽고 공부했어요. 율곡이 스물세 살이 되던 해에는 뛰어난 학자인 퇴계 이황을 만나 더 많은 공부를 했고 학문도 더 높아졌지요. 그리고 그해에는 아버지도 세상을 떠났어요. 율곡은 아버지 무덤 옆에서도 삼 년을 보냈어요.

율곡은 열세 살 때부터 과거 시험에서 ❼**장원**을 아홉 번이나 ❽**차지했어요**. 나랏일을 하게 된 율곡은 바른말을 하며 임금을 도왔어요.

내용 이해하기

1 **다음 글을 읽고 알게 된 사실을 바르게 말한 친구를 고르세요. (   )**

> 율곡이 다섯 살 때 어머니인 신사임당이 큰 병을 앓았어요. 어린 율곡은 아픈 어머니를 위해 며칠 동안 기도를 드렸어요.

① 
율곡은
글솜씨가 뛰어나.

② 

정답과 해설 21쪽

2 **율곡이 열여섯 살 때 있었던 일을 고르세요. (   )**

① 율곡의 어머니가 갑자기 돌아가셨어요.
② 율곡은 임금을 도와 나랏일을 하였어요.
③ 율곡은 퇴계 이황을 만나서 더 많은 공부를 했어요.

3 **다음 내용에 어울리는 속담이 되도록 빈칸에 들어갈 말을 글에서 찾아 쓰세요.**

> 율곡의 외할머니는 어린 율곡의 대답을 듣고 그가 장차 큰 인물이 될 것이라고 생각했어요. 훗날 율곡은 외할머니의 생각대로 과거 시험에서 장원을 아홉 번이나 차지했고 나랏일을 하며 임금을 도왔어요.

➜ 될성부른 나무는 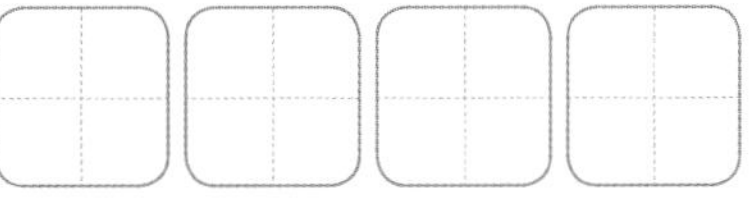 알아본다

어휘 익히기

4 **다음 뜻에 알맞은 낱말을 보기 에서 찾아 빈칸에 쓰세요.**

보기 뛰어나다 이름나다 차지하다

(1) ( ) : 세상에 이름이 널리 알려지다.

(2) ( ) : 사물, 공간 또는 지위 등을 가지다.

(3) ( ) : 능력 등이 남보다 더 훌륭하거나 우수하다.

5 **문장에 어울리는 낱말을 안에서 골라 ○표 하세요.**

(1) 어린이들은 장차 / 갑자기 나라의 주인이 될 사람들이에요.

(2) 퇴계 이황은 학문이 뛰어난 효심 / 학자 예요.

6 **다음 상황에 알맞은 속담을 고르세요. (   )**

① 백지장도 맞들면 낫다
② 호랑이도 제 말 하면 온다
③ 길고 짧은 것은 대어 보아야 안다
④ 될성부른 나무는 떡잎부터 알아본다

정답과 해설 21쪽

7 다음 문장에 들어갈 바른 낱말에 ○표 하세요.

(1) 이번 주에는 {며칠 / 몇일} 동안 비가 왔어요.

(2) 내가 다섯 살이 {되든 / 되던} 해에 동생이 태어났어요.

8 밑줄 친 낱말을 바르게 고쳐 쓰세요.

(1) 우리 아빠는 요리 솜씨가 띠어나요.

→ 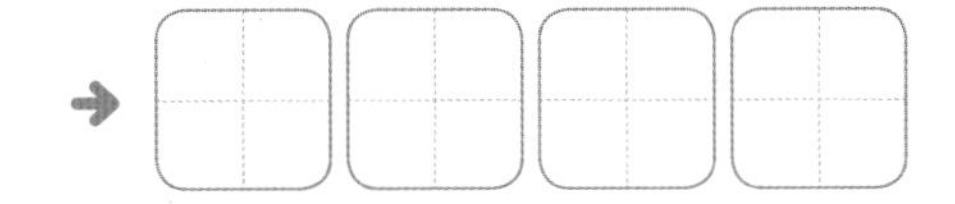

(2) 에디슨의 어머니는 에디슨이 남달른 아이라고 생각했어요.

→ 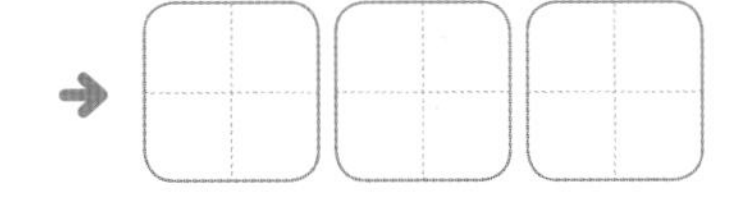

1단계 36 받아쓰기

9 들려주는 말을 잘 듣고 띄어쓰기에 유의하여 받아쓰세요.

(1) | | ∨ | | | ∨ | | | | | . | | | | |

(2) | | | ∨ | | ∨ | | ∨ | | | | | . | |

(3) | | | ∨ | | | | ∨ | | | | | | . | |

QR코드를 찍어 낱말 게임을 해 보세요.

1단계 36 낱말 게임

맞은 개수 ______ /9개

Day 37

관용어

귀가 얇다

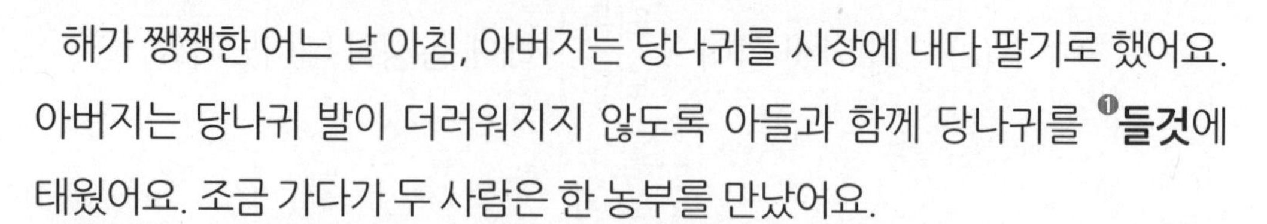

아는 어휘에 ✓ 표시를 해 보고, 어휘의 뜻을 생각하며 글을 읽어 보세요.

□ 미련하다 □ 터덜터덜 □ 또각또각 □ 지끈지끈 □ 결정하다

공부한 날

월 일

❶ **들것**: 천에 두 개의 긴 막대기를 달아서 그 위에 환자나 물건을 싣고 앞뒤에서 두 사람이 들어 나르는 기구.

❷ **미련하군요**: 행동이나 생각이 어리석고 둔하군요.

❸ **터덜터덜**: 지치거나 기운이 없어서 무거운 발걸음으로 힘없이 걷는 소리. 또는 그 모양.

❹ **또각또각**: 구둣발이나 말발굽으로 단단한 바닥을 걸어가는 소리. 또는 그 모양.

❺ **지끈지끈**: 머리가 자꾸 쑤시듯 아픈 모양.

❻ **귀가 얇았어**: 남의 말을 쉽게 받아들였어.

❼ **결정하고**: 무엇을 어떻게 하기로 분명하게 정하고.

해가 쨍쨍한 어느 날 아침, 아버지는 당나귀를 시장에 내다 팔기로 했어요. 아버지는 당나귀 발이 더러워지지 않도록 아들과 함께 당나귀를 ❶**들것**에 태웠어요. 조금 가다가 두 사람은 한 농부를 만났어요.

"당신들은 참 ❷**미련하군요**. 왜 당나귀를 타지 않고 힘들게 들고 가시오?"

아버지는 당나귀를 걸어가게 했어요. 아들이 지치자 아버지는 아들을 당나귀에 태웠어요. 조금 더 가다가 두 사람은 장사꾼 세 사람을 만났어요.

"아들이 버릇없군. 아버지를 당나귀에 태워야지!"

아버지는 아들 대신 당나귀에 올라탔어요. 하지만 너무 더워서 아들은 금방 지쳤어요. 두 사람은 조금 더 가다가 세 여자를 만났어요.

"어머나, 아들은 쓰러질 것 같은데 아버지 혼자 당나귀를 타다니!"

아버지는 아들을 뒤에 태우고 가다가 신부님을 만났어요.

"당나귀 등에 두 사람이나 타다니, 당나귀가 불쌍하지 않아요?"

두 사람은 당나귀에서 내려 뙤약볕이 내리쬐는 길을 ❸**터덜터덜** 걸어갔어요. 당나귀는 ❹**또각또각** 발굽 소리를 내며 걸었어요. 드디어 두 사람은 장터에 도착했어요. 지쳐 있는 두 사람을 보고 사람들이 말했어요.

"이상한 사람들이네. 이 더운 날씨에 당나귀를 타지 않고 걸어오다니."

아버지와 아들은 길에서 만난 사람들의 말을 모두 따르느라 힘들었어요. 그리고 머리가 ❺**지끈지끈** 아팠어요.

"아들아, 오늘 많이 힘들었지? 내가 ❻**귀가 얇았어**. 이제부터는 내 스스로 ❼**결정하고** 행동할 거야."

아들은 아버지의 말에 고개를 끄덕였어요.

내용 이해하기

1 이야기의 순서대로 ▢ 안에 숫자를 쓰세요.

정답과 해설 21쪽

2 이야기를 읽고 느낀 점을 바르게 말한 친구를 고르세요. (　　　)

① **미연**: 이웃과 사이좋게 지내야 해.

② **정후**: 다른 사람의 말을 잘 듣고 그대로 해야 해.

③ **제덕**: 자신의 일은 스스로 결정하고 행동해야 해.

3 빈칸에 들어갈 말을 글에서 찾아 쓰세요.

아버지는 ▢▢가 얇았어요. 그래서 길에서 만난 사람들의 말대로 행동했고, 장터로 오는 길이 매우 힘들었어요.

어휘 익히기

4 **다음 낱말의 알맞은 뜻을 찾아 선으로 이으세요.**

(1) 지끈지끈 •　　　　•① 말발굽으로 단단한 바닥을 걸어가는 소리.

(2) 터덜터덜 •　　　　•② 지쳐서 무거운 발걸음으로 힘없이 걷는 모양.

(3) 또각또각 •　　　　•③ 머리가 자꾸 쑤시듯 아픈 모양.

5 **문장에 어울리는 낱말을 ▭ 안에서 골라 ○표 하세요.**

(1) 엘리베이터를 두고 걸어오다니 당신은 미련하군요 / 버릇없군요 .

(2) 내가 할 일은 내 스스로 결정할 / 걸어갈 거예요.

6 **여자아이의 상황에 알맞은 말을 고르세요. (　　　)**

① 귀가 얇다　　　　② 입이 가볍다

③ 손이 빠르다　　　④ 배가 아프다

정답과 해설 21쪽

7 다음 문장에 들어갈 바른 낱말에 ○표 하세요.

(1) 새 신발이 {더러워지지 / 드러워지지} 않게 조심히 걸었어요.

(2) 농부는 {때약볕 / 뙤약볕} 아래에서 일했어요.

8 밑줄 친 낱말을 바르게 고쳐 쓰세요.

(1) 아기를 유모차에 태었어요.

→ □□□□

(2) 오래 걸었더니 매우 힘드렀어요.

→ □□□□□

9 들려주는 말을 잘 듣고 띄어쓰기에 유의하여 받아쓰세요.

(1)

(2)

(3) ?

QR코드를 찍어 낱말 게임을 해 보세요.

맞은 개수 ______ /9개

Day 38

한자 성어

막상막하(莫 없을 막 上 윗 상 莫 없을 막 下 아래 하)

아는 어휘에 ✔ 표시를 해 보고, 어휘의 뜻을 생각하며 글을 읽어 보세요.

☐ 여기다 ☐ 아궁이 ☐ 절구통 ☐ 대단하다 ☐ 고약하다

공부한 날

월 일

❶ **여겨서**: 마음속으로 어떤 대상을 무엇으로 또는 어떻게 생각해서.

❷ **아궁이**: 방이나 솥 등에 불을 때기 위하여 만든 구멍.

❸ **절구통**: 절구질을 할 때 곡식 등을 담는 우묵한 통.

❹ **대단하네**: 아주 뛰어나네.

❺ **막상막하**: 더 낫고 더 못함의 차이가 거의 없음.

❻ **고약해서**: 맛, 냄새 등이 매우 좋지 않아서.

옛날에 방귀를 잘 뀌는 윗마을 김 씨와 아랫마을 박 씨가 있었어요.

어느 날 김 씨는 박 씨와 방귀 시합을 하고 싶어서 박씨네 집을 찾아갔어요. 집에 혼자 있던 박 씨의 아들은 김 씨를 보고 말했어요.

"아저씨 방귀가 아무리 세도 우리 아버지 방귀는 못 당할걸요?"

김 씨는 박 씨의 아들이 자신의 방귀 실력을 우습게 ❶**여겨서** 화가 났어요. 김 씨는 박 씨의 아들을 향해 '뽀오옹' 하고 방귀를 뀌었어요. 박 씨의 아들은 김 씨 방귀에 밀려 ❷**아궁이**로 들어갔다 굴뚝으로 쑥 나와 하늘로 날아갔어요. 이 모습을 본 김 씨는 집으로 도망갔어요.

집에 돌아온 박 씨는 김 씨가 자기 아들을 방귀로 날렸다는 이야기를 들었어요. 박 씨는 화가 나서 김 씨를 혼내 주러 윗마을로 뛰어갔어요.

박 씨는 장터에서 김 씨를 찾았고, 김 씨를 향해 방귀를 뀌었어요. 박 씨의 방귀에 밀려 ❸**절구통**이 김 씨에게 날아왔어요. 김 씨는 절구통을 향해 재빠르게 방귀를 뀌었어요. 날아오던 절구통이 다시 박 씨를 향했어요. 다시 한번 박 씨도 방귀 공격! 절구통이 둘 사이에서 왔다 갔다 했어요.

"어이쿠, 소문대로 ❹**대단하네**. 방귀 실력이 ❺**막상막하**야."

구경꾼들은 방귀 냄새가 너무 ❻**고약해서** 코를 막고 가 버렸어요. 그래도 둘의 방귀 시합은 계속됐어요.

내용 이해하기

1 **다음 문장이 이야기의 내용에 맞도록 빈칸에 들어갈 말을 쓰세요.**

김 씨는 방귀 □□을 하고 싶어서 박 씨네 집을 찾아갔어요.

정답과 해설 22쪽

2 **박 씨가 윗마을로 뛰어간 까닭을 고르세요. (　　　)**

① 김 씨가 뀐 방귀 냄새가 고약해서

② 김 씨가 박 씨의 집 아궁이와 굴뚝을 망가뜨려서

③ 박 씨의 아들을 방귀로 날린 김씨를 혼내 주려고

3 **빈칸에 들어갈 말을 글에서 찾아 쓰세요.**

김 씨와 박 씨는 서로에게 절구통을 날릴 만큼 방귀 실력이 대단했어요. 둘의 방귀 실력은 더 낫고 더 못함의 차이가 거의 없이 □□□□여서 시합이 끝나지 않았어요.

어휘 익히기

4 다음 낱말의 알맞은 뜻을 찾아 선으로 이으세요.

(1) 여기다 • •① 아주 뛰어나다.

(2) 고약하다 • •② 맛, 냄새 등이 매우 좋지 않다.

(3) 대단하다 • •③ 마음속으로 어떤 대상을 어떻게 생각하다.

5 다음 그림에서 절구통에 ○표, 아궁이에 △표 하세요.

6 빈칸에 공통으로 들어갈 말에 ○표 하세요.

- 은진이와 병서는 달리기를 매우 잘해요. 둘의 실력은 ( ) 예요.
- 두 팀의 실력이 ( ) 라서 1 대 1 무승부가 됐어요.

( ) 칠전팔기 ( ) 십중팔구 ( ) 막상막하

7 다음 문장에 들어갈 바른 낱말에 ○표 하세요.

(1) 우리 누나 피아노 실력은 못 {당할걸 / 당할껄}.

(2) 피아노 연주가 {계속됬어요 / 계속됐어요}.

정답과 해설 22쪽

8 밑줄 친 낱말을 바르게 고쳐 쓰세요.

(1) 지율이는 집으로 향해써요.

➜ □□□□

(2) 민우의 노래 솜씨가 대다나네.

➜ □□□□

9 들려주는 말을 잘 듣고 띄어쓰기에 유의하여 받아쓰세요.

(1) □□∨□□□∨□□∨□□□□

(2) □□□□∨□□□∨□□□□.

(3) □□∨□□∨□∨□□□□.

QR코드를 찍어 낱말 게임을 해 보세요.

맞은 개수 ______ /9개

Day 39

교과 어휘

겨울 날씨

1단계 39 지문 듣기

아는 어휘에 ✔ 표시를 해 보고, 어휘의 뜻을 생각하며 글을 읽어 보세요.

□ 단단히 □ 질리다 □ 매섭다 □ 적당히

공부한 날

월 일

❶ **동장군**: 겨울 장군이라는 뜻으로, 매우 심한 겨울 추위를 비유적으로 이르는 말.

❷ **포대**: 종이나 가죽, 천 등으로 만든 큰 자루.

❸ **단단히**: 느슨하지 않고 튼튼하게.

❹ **질린**: 놀라거나 두려워서 기가 막히거나 기운이 꺾인.

❺ **매서운**: 추위나 바람 등이 매우 심한.

❻ **적당히**: 기준, 조건, 정도에 알맞게.

저녁 뉴스에서 ❶**동장군**이 찾아왔으니 되도록 외출하지 말라고 했어요.

'동장군이 누구지? 운동장에 나타난 장군? 아니면 똥을 잘 싸는 똥장군?'

나는 동장군이 누구인지 정말 궁금했어요.

밤새 온 세상이 하얗게 눈으로 덮이고, 차가운 바람이 세게 불었어요. 점심을 먹자마자 아빠는 쌀 ❷**포대**를 찾아다니셨어요.

"엄마 몰래 나가 놀자. 옷을 ❸**단단히** 입어. 목도리도 하고 장갑도 끼고."

"아빠, 밖에 나가면 동장군한테 잡혀갈지도 몰라요."

아빠는 겁에 ❹**질린** 내 얼굴을 보고 껄껄 웃으며 말씀하셨어요.

"동장군의 '동'은 '겨울 동(冬)'이라는 한자이고, 동장군이란 겨울 장군, 즉 ❺**매서운** 추위를 부르는 말이야. 우리나라 **겨울 날씨**는 오늘처럼 눈 오고 차가운 바람도 부는 날씨란다. 그래서 사람들은 한겨울이 되어 매섭게 추워지면 동장군이 심술을 부린다고 말한단다."

"아, 그렇구나. 저는 동장군이 무서운 괴물인지 알았어요."

나는 그제서야 마음이 놓였어요.

"겨울에 집에만 있지 않고 ❻**적당히** 바깥 놀이를 해야 더 건강해진단다. 햇볕이 좋으니 나가서 눈싸움도 하고 쌀 포대로 눈썰매도 타자."

아빠와 나는 신나게 쌀 포대를 들고 밖으로 나갔어요.

내용 이해하기

1 **'동장군'에 대한 설명으로 알맞은 것을 고르세요. (　　　)**

① 똥을 잘 싸는 사람이에요.
② 운동장에 나타난 장군이에요.
③ 매서운 추위를 이르는 말이에요.

정답과 해설 22쪽

2 **다음 문장의 뜻으로 알맞은 것을 고르세요. (　　　)**

동장군이 심술을 부려요.

① 여름에 날씨가 무덥고 비가 많이 내려요.
② 겨울에 날씨가 매우 춥고 차가운 바람이 불어요.

3 **빈칸에 들어갈 말을 글에서 찾아 쓰세요.**

우리나라 ☐☐ ☐☐는 눈 오고 차가운 바람도 부는 날씨예요.
한겨울에 날씨가 추워지면 '동장군이 찾아왔다.'라고 말해요.

어휘 익히기

4 다음 낱말의 알맞은 뜻을 찾아 선으로 이으세요.

(1) 단단히 •　　　　• ① 느슨하지 않고 튼튼하게.

(2) 매섭게 •　　　　• ② 기준, 조건, 정도에 알맞게.

(3) 적당히 •　　　　• ③ 추위나 바람 등이 매우 심하게.

5 빈칸에 들어갈 낱말을 고르세요. (　　　)

민영이는 겁에 ☐☐ 얼굴이 하얘졌어요.
↳ 놀라거나 두려워서 기가 막히거나 기운이 꺾여.

① 부려　　② 덮여　　③ 질려

6 다음 대화의 빈칸에 들어갈 말을 쓰세요.

7 다음 문장에 들어갈 바른 낱말에 ○표 하세요.

(1) 신발 끈을 {단단이 / 단단히} 묶으세요.

(2) 밥을 {적당이 / 적당히} 드세요.

8 밑줄 친 낱말을 바르게 고쳐 쓰세요.

(1) 온 세상이 눈으로 더피고 날씨가 아주 추웠어요.

→ 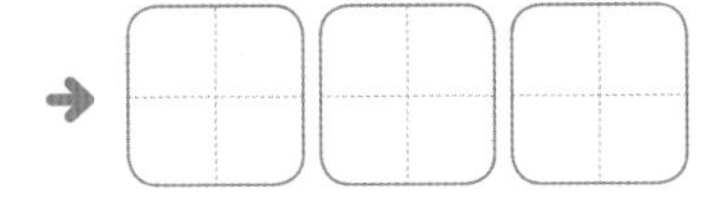

(2) 메서운 바람이 불었어요.

→ 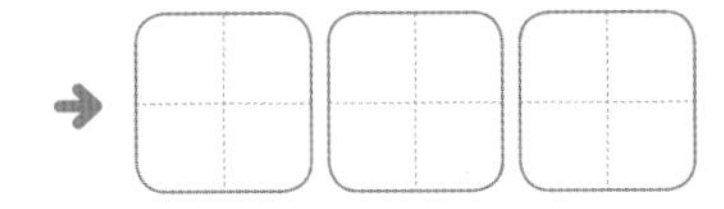

9 들려주는 말을 잘 듣고 띄어쓰기에 유의하여 받아쓰세요.

(1) 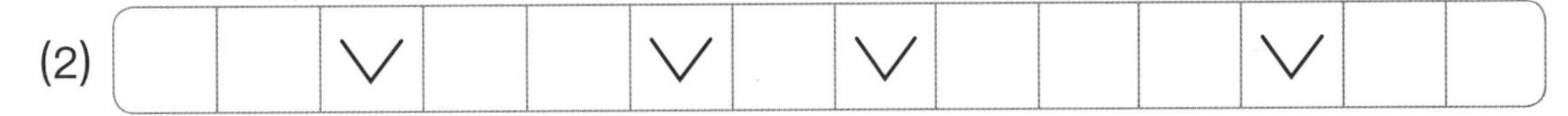

(2) 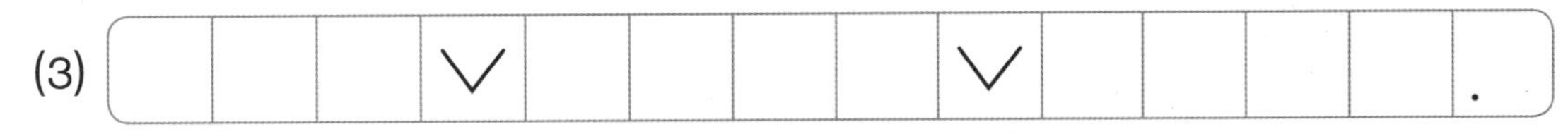

(3)

QR코드를 찍어 낱말 게임을 해 보세요.

맞은 개수 ______ /9개

Day **40** 한자 어휘

상하(上下)

● 上(상)은 '위', '앞, '올리다' 등을 뜻해요.

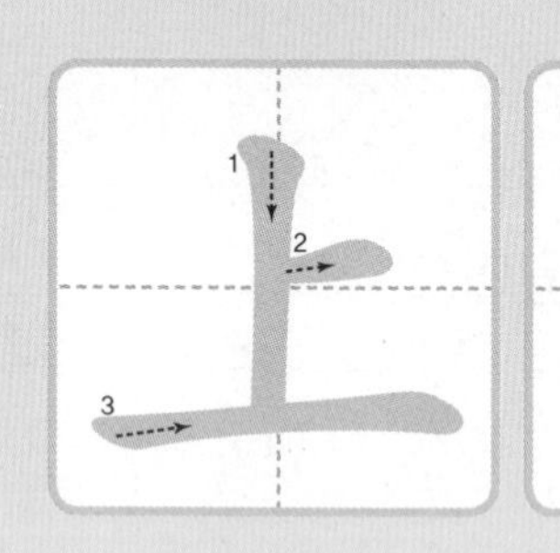

→ 上

땅 위를 표시한 모양에서 만들어진 글자예요.

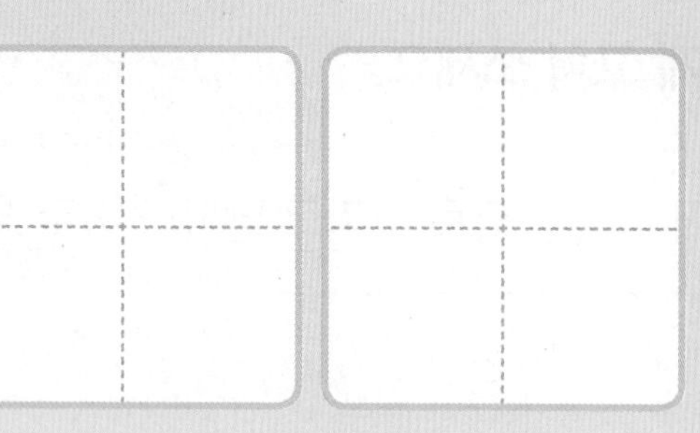

上(상)이 들어간 다음 어휘 중에서 아는 것에 ✔ 표시를 해 보세요.

☐ 상체 ☐ 이상 ☐ 향상

상 (윗 上) **체** (몸 體)	뜻 사람의 몸이나 물체의 윗부분. 예 수호는 예쁜 돌멩이를 주우려고 상체를 굽혔어요.
이 (써 以) **상** (윗 上)	뜻 수량, 정도가 일정 기준을 포함하여 그보다 많거나 나은 것. 예 이 놀이 기구는 110 센티미터 이상인 어린이만 탈 수 있어요.
향 (향할 向) **상** (윗 上)	뜻 실력, 수준, 기술 등이 더 나아짐. 또는 나아지게 함. 예 태권도 실력 향상을 위해 발차기 연습을 열심히 했어요.

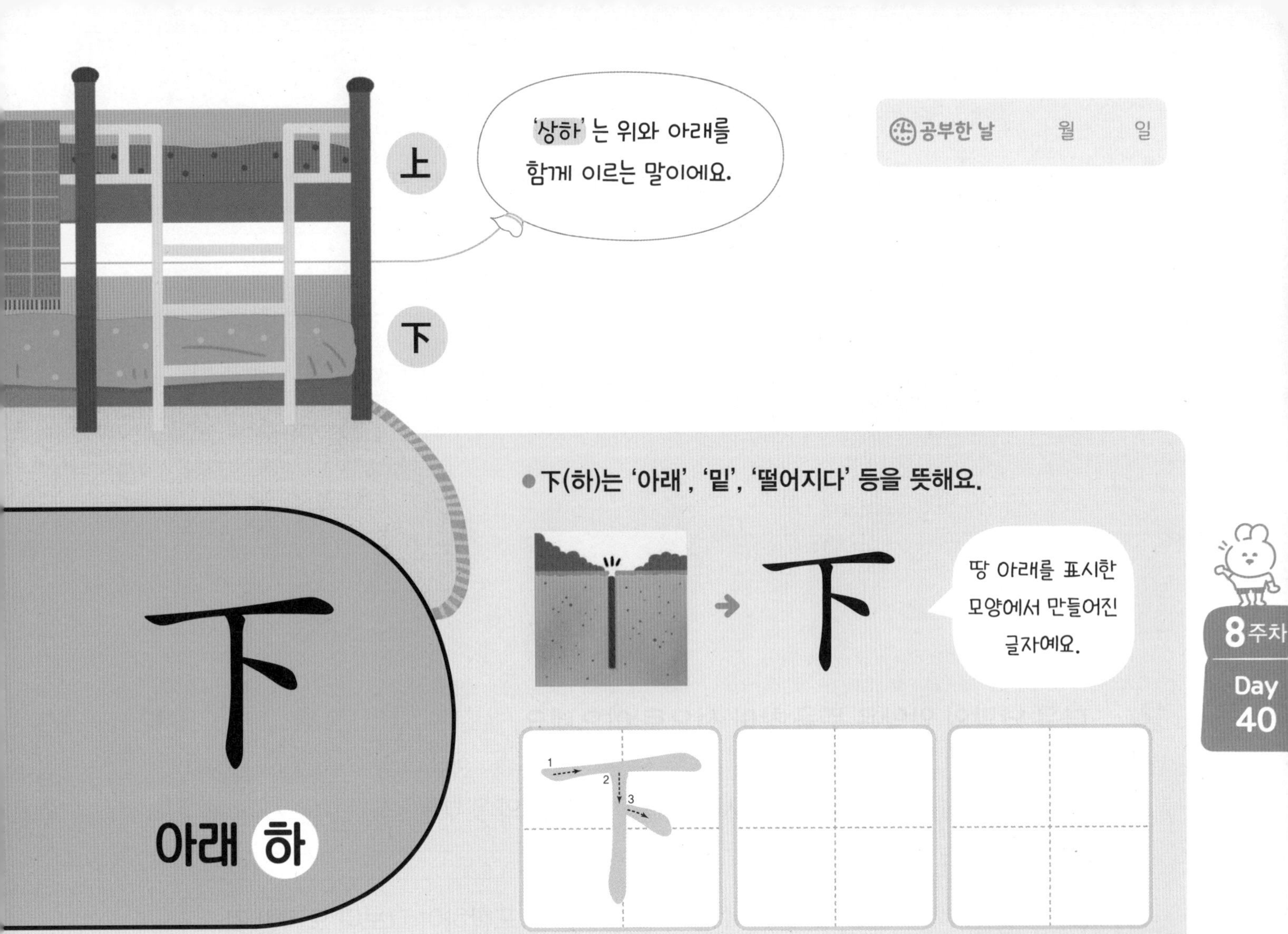

하(下)가 들어간 다음 어휘 중에서 아는 것에 ✓ 표시를 해 보세요.

- ☐ 하체
- ☐ 이하
- ☐ 낙하산

하 체 (아래 下 / 몸 體)

뜻 사람의 몸이나 물체의 아랫부분.

예 다리를 튼튼하게 하려고 하체 운동을 했어요.

이 하 (써 以 / 아래 下)

뜻 수량, 정도가 일정 기준을 포함하여 그보다 적거나 모자란 것.

예 이 놀이 기구는 110 센티미터 이하인 어린이는 탈 수 없어요.

낙 하 산 (떨어질 落 / 아래 下 / 우산 傘)

뜻 하늘에서 사람이나 물건이 천천히 떨어지게 하는 데 쓰이는, 펼친 우산 모양의 장치.

예 비행기에서 사고가 나면 낙하산을 타고 탈출해요.

1 다음 뜻과 음을 가진 한자의 번호를 보기 에서 찾아 쓰세요.

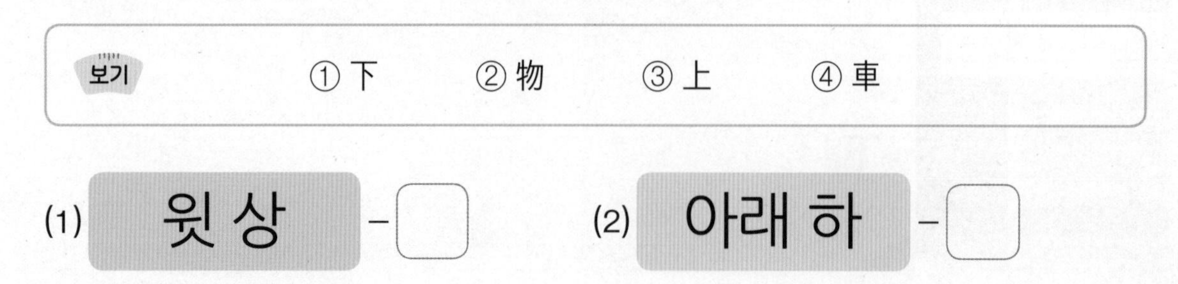

2 다음 낱말의 알맞은 뜻을 찾아 선으로 이으세요.

(1) 이하 • • ① 사람의 몸이나 물체의 윗부분

(2) 상체 • • ② 수량이 일정 기준을 포함하여 그보다 모자란 것.

3 주어진 낱말이 문장의 내용과 어울리는 것을 고르세요.

(1) 향상 (   )

↳ 실력, 수준, 기술 등이 더 나아짐.

① 매일 열심히 피아노를 연습했더니 실력이 향상됐어요.

② 아무리 잘해도 꾸준히 노력하지 않으면 실력이 향상될 수 있어요.

(2) 낙하산 (   )

↳ 하늘에서 사람이나 물건이 천천히 떨어지게 하는 데 쓰이는, 펼친 우산 모양의 장치.

① 하늘에서 물건이 빠르게 떨어지게 할 때 낙하산을 이용해요.

② 사고가 나서 비행기에서 뛰어내릴 때 낙하산을 이용해요.